Raimundo Lulio

primer misionero
cristiano entre los
musulmanes

Samuel M. Zwemer

LIBROS DESAFÍO®

2007

Contenido

PRÓLOGO

≫≺

Hegel dijo que la historia de la humanidad nos enseña que el hombre no aprende de la historia.[1] Y cuando uno hojea las paginas de una biografía como la de Raimundo Lulio cuya vida se desarrolla hace poco más de 7 siglos, parecería que fuese un personaje contemporáneo. Las actitudes cristianas de la época de Lulio, sobre todo hacia los musulmanes, no eran para acercarlos al evangelio sino tratar de quitarles territorios por la fuerza. Las Cruzadas Cristianas que estaban en su apogeo en aquellos días, demostraban el espíritu cristiano de la época.

Actualmente los protagonistas políticos y religiosos son otros y los adelantos tecnológicos han modelado radicalmente el medio que nos rodea. Pero en esencia, la naturaleza humana sigue siendo la misma. No hay remedios fáciles para una convivencia pacifica entre individuos como entre naciones y lo más impactante al comparar la época en que vivió Lulio con la nuestra, es que los cristianos de Occidente siguen tratando a los musulmanes de la misma manera que lo han hecho durante siglos, como sus enemigos.

Las confrontaciones actuales del mundo occidental con el islámico, tienen todos los distintivos de las Cruzadas de antaño. Los motivos o pretextos siguen siendo los mismos. En el pasado se trataba de rescatar

---

1 Georg Wilhelm Friedrich Hegel, *The Philosophy of History,* trans. J. Sibree, vol. 10, Introduction, p. 6 (1899).

los lugares sagrados del cristianismo de manos de los infieles, no importando las matanzas indescriptibles en ambos bandos, el cielo estaba garantizado para los aventureros de aquella época. Hoy en día se trata de rescatar los lugares sagrados de un Occidente cristiano secularizado, los pozos petroleros, que garantizan un estilo de vida cómodo y que nadie esta dispuesto a abandonarlo.

Y aquí la figura de Raimundo Lulio se torna relevante, sobre todo para la iglesia cristiana de nuestros días. En medio de la retórica protestante fundamentalista hacia los musulmanes, este sencillo creyente medieval nos nuestra lo que Dios puede hacer con una persona que ha experimentado una «conversión a la penitencia» (termino de aquella época y que equivale al «aceptar a Cristo» de nuestros días) y se entrega en alma y cuerpo a aquel que lo rescato de su vida licenciosa anterior.

En su libro la *Vita coetanea*, Lulio describe en detalle los momentos cruciales de su experiencia, que podemos considerar como tres episodios iniciales. El primero fue la visión nocturna de Cristo crucificado, una visión que se repitió en cinco ocasiones diferentes, con intervalos de unos días entre cada una de ellas. Según narra Lulio, estaba comenzando a escribir en su idioma una canción a una dama de la cual estaba locamente enamorado (I, 2). Aunque intentó olvidar estas experiencias, Lulio se da cuenta finalmente de la importancia de las visiones: «que Dios quería que él mismo, Raimundo, dejara el mundo y se dedicara totalmente al servicio de Cristo» (I, 4). Pensando en la manera específica en como llevar a cabo esta propuesta, Lulio formula un triple objetivo: Lograr la conversión de los incrédulos, arriesgándose incluso a la misma muerte por causa de Cristo; Escribir un libro, «el mejor [libro] en el mundo[2]», en contra de los errores de los incrédulos; y convencer a las autoridades eclesiásticas y políticas de aquella época que fundasen monasterios en los cuales el aprendizaje de idiomas fuese un requisito para las actividades misioneras. La manera en la cual Lulio se propuso llevar a cabo la primera intención de su nueva vida, era honrando, alabando y sirviendo a Dios.

---

2 El mejor libro del mundo se refiere a su Ars Magna. Como un método universal, el Arte era la base de todas las ramas del conocimiento (lógica, metafísica, filosofía, teología, derecho, medicina y las otras ciencias naturales, las artes liberales, las mecánicas, etc.); su lugar como un método de métodos, superior a cualquier forma doctrinal previa, le daba una autoridad cultural neutral como una herramienta de persuasión racional. La meta esencial de Lulio era extender la Verdad al hacerla inmediatamente patente y activa entre los creyentes y al imponerla sobre los incrédulos por las evidencias obvias.

Sin duda Raimundo Lulio fue una vida que «nadó en contra de la corriente» de su época. Cuando todo el mundo apuntaba hacia una dirección él se propuso seguir los principios dados por su Señor en su Palabra, amar a su prójimo, el musulmán, como a sí mismo. Es imposible separar el anterior mandamiento del primero y más importante, y Raimundo demostró el amor por su Dios vertiéndolo en su prójimo. Y para esto usó de todas sus *fuerzas*. Aun a una edad avanzada, lo encontramos predicando el evangelio en el Norte de África de todo su *corazón,* demostrado en su amor hacia esas personas aun a riesgo de su propia vida y con toda su *mente,* proponiéndose de manera creativa y bien pensada demostrar la Verdad a sus oyentes.

«Veo muchos caballeros marchar a Tierra Santa, más allá de los mares, con la idea de conquistarla por la fuerza de las armas; pero al cabo todos ellos perecen antes de alcanzar lo que piensan poseer. Por tanto, me parece que no se había de procurar la conquista de la Tierra Santa, excepto a la manera por la cual tú y tus apóstoles la adquiristeis, es decir, por el amor y las oraciones, por el derramamiento de lágrimas y de sangre» (p. 43).

Deseo que la lectura de esta biografía sea de inspiración al lector para acercarse más a Dios y buscar su dirección al relacionarnos con nuestros semejantes los musulmanes.

Pablo Carrillo Luna
Granada, España
Enero de 2007

Prólogo a la edición española de 1977

❧

Al lector

El islam, después del cristianismo, es la religión de la mayoría de personas en el mundo actual. Domina todo el norte de África y Oriente Medio. Es la religión de aproximadamente 600.000.000 de personas. En muchos países es la fe oficial del estado y muestra una intolerancia severa hacia otras religiones. En algunos lugares se prohíbe la conversión de un musulmán a otra fe y, si uno se convierte al cristianismo, su muerte es casi segura. En el África de hoy, a causa de los recursos financieros que aporta el petróleo, el islam es muy activo y misionero, de modo que supone el principal desafío para el cristianismo.

Hemos publicado una nueva edición de este libro para dar a conocer al público cristiano la figura del gran misionero, filósofo, místico y poeta mallorquín, Raimundo Lulio. Este libro fue escrito originalmente en inglés, traducido y publicado hace treinta años en España. Raimundo Lulio fue uno de los primeros que reconoció que lo que necesitaban los musulmanes no era la espada, sino la cruz; no era la supresión ni la conquista, sino la proclamación del evangelio y la demostración del amor y la compasión cristiana.

En la vida y el carácter de Raimundo Lulio se ve un ejemplo del espíritu cristiano. Lulio era autor, predicador, misionero y reformador; para todo cristiano, sea católico o evangélico, es siempre digno de elogio y admiración.

El autor, Dr. Samuel Zwemer, fue conocido en su tiempo como el «apóstol a los musulmanes», y Raimundo Lulio le inspiró tanto que le puso el mismo nombre a uno de sus hijos.

En este período de historia en el que la proclamación del glorioso mensaje del evangelio es más urgente que nunca, nos parece muy apropiado presentar al público de habla española una nueva edición de esta biografía clásica, esperando que Dios la utilice para motivar a su Iglesia y darle nuevo interés y dedicación en la misión cristiana.

Rogelio S. Greenway

Introducción a la edición inglesa de 1902

≫€

Sería muy difícil encontrar persona tan competente como el Dr. Zwemer para escribir la vida del primer gran misionero que evangelizó a los mahometanos. Durante doce años el Dr. Zwemer ha trabajado con sus asociados de la Misión Árabe de la Iglesia Reformada en la costa oriental de la península de Arabia y en la región turca al noroeste del Golfo Pérsico. A un dominio casi perfecto del árabe, un conocimiento exacto del Corán, un celo incansable y un valor indomable, ha unido un intenso amor hacia los musulmanes y un ardiente deseo de darles a conocer de forma genuina al Salvador, a quien ellos creen anulado y superado por su profeta.

Cuando crucé el Golfo Pérsico durante la primavera del año 1897, los capitanes de los vapores, sin excepción, se deshacían en alabanzas al misionero de «corazón de león», como ellos le llamaban, que solía sentarse en la escotilla con los viajeros árabes y confundirlos con argumentos sacados de sus propias escrituras. En el intervalo de varios viajes al interior de El Hasa y Omán, el Dr. Zwemer halló tiempo para escribir un libro sobre Arabia (publicado en el año 1900) que es la más completa autoridad referente a la península. Es también uno de los mejores libros que poseemos sobre los problemas, de interés para todos los cristianos, que plantea el nacimiento y difusión del islam. Dado su amor a los mahometanos, su profundo conocimiento de su religión y el trabajo constante para aumentar el esfuerzo misionero destinado a procurar la evangelización del mundo musulmán, el Dr. Zwemer reúne condiciones que pocos poseen en tan alto grado para entender la vida de Raimundo Lulio, y para describirla con plena comprensión.

Había gran necesidad de que se escribiese de un modo adecuado la vida de Raimundo Lulio para lectores de habla inglesa. Fue el misionero más grande que se ha dirigido jamás al mundo musulmán. Constituye una de las figuras sobresalientes de la Iglesia Católica del siglo XIII. Fue un cristiano con el espíritu moderno de catolicidad —ni romanista ni protestante—, un hombre de juicio espiritual y de amor divino. En una época en que otros hombres daban a la creencia en la autoridad sobre religión la expresión más diabólica que ha podido concebirse —la Inquisición— Lulio percibió la futilidad de esa autoridad. Amó a Cristo de manera apasionada y vio que el único verdadero método misionero era el del amor. Dejar su vida en el olvido supondría una pérdida incalculable para la iglesia de nuestros tiempos. Necesitamos avivar su memoria, aprender de nuevo sus secretos y confirmar las tendencias cristianas más elevadas de nuestros días viéndolas noblemente ilustradas en la vida de Lulio. De todos los hombres de su siglo que conocemos, Raimundo Lulio fue el más poseído por el amor y la vida de Cristo y por consiguiente el más celoso para compartir su posesión con el mundo. El mundo estaba muy necesitado de aquel amor y aquella vida; la iglesia casi tanto como el mundo.

La grandeza del carácter de Lulio se destaca de un modo aún más marcado cuando se considera cómo se elevó por encima del mundo y de la iglesia de su tiempo, anticipando por muchos siglos normas morales, conceptos intelectuales y ambiciones misioneras que nosotros hemos alcanzado con mucho trabajo y muy lentamente a partir de la Reforma.

El movimiento de nuestro pensamiento, teológico o filosófico, tiende fuertemente ahora hacia conceptos de vida. Esto ciertamente es un adelanto. Vemos que la vida es el asunto supremo y que debemos formular nuestros conceptos en términos propios de la misma. La obra misionera ganará mucho por medio de este nuevo modo de pensar. Su propósito es dar vida. Su método es obrar por contacto con la vida. Raimundo Lulio lo demostró. Él salió para dar una vida divina, que él ya poseía en su propia alma. En *St. Paul's Conception of Christ* (El concepto paulino de Cristo) Somerville indica que «hemos de buscar la génesis de la teología de Pablo en la conciencia de lo que el Cristo glorificado era para él en su vida personal». Es también en su experiencia interior del Cristo glorificado donde hemos de buscar el secreto y la fuente de la doctrina y de la vida de Raimundo Lulio: lo que pensó, lo que fue y lo que sufrió. Y esto se aplica a todos los verdaderos misioneros. Ellos no van a Asia o a África para decir: «Ésta es la doctrina de la Iglesia Cristiana», o «Vuestra ciencia es mala. Mirad por este microscopio, ved por vosotros mismos y dejad tales errores», o «Comparad vuestra condición con la de América; ved cuánto más provechoso en el sentido social es el cristianismo que el hinduismo, el confucionismo, el fetichismo o el islam». Sin duda todo esto tiene su lugar: es el argumento tomado de la concordancia del cristianismo con los hechos del universo, el argumento del fruto. Pero todo esto es secundario. El asunto primario es el testimonio personal. «Esto es lo que he sentido. Esto ha hecho Cristo por mí. Yo predico un Salvador que conozco. Lo que hemos oído, lo que hemos visto con nuestros ojos, lo que hemos contemplado, y palparon nuestras manos tocante al Verbo de vida (porque la vida fue manifestada, y la hemos visto, y testificamos, y os anunciamos la vida eterna, la cual estaba con el Padre, y se nos manifestó); lo que hemos visto y oído, eso os anunciamos, para que también vosotros tengáis comunión con nosotros». El hombre que no puede decir esto, será capaz de cambiar las opiniones de aquellos a quienes se dirige, de mejorar su condición social, de libertarles de errores necios y supersticiones esclavizantes; pero después de esto, aquella única cosa que, al llevarse a cabo, habría arreglado por sí misma todas estas cuestiones y mil más, quedará todavía por alcanzar. Nos referimos al don de la vida. El misionero que quiera hacer la obra de San Pablo o de Lulio ha de ser capaz de predicar un Cristo viviente probado por la experiencia. Es un Cristo que, por su encarnación, tiene sus raíces en la historia y que, por su resurrección, se muestra como persona divina, libre de toda interpretación panteísta. Pero a la vez es un Cristo presente y conocido, vivido y pronto para entregarse a la muerte por la vida, a fin de que de la muerte se cambie en vida.

Sería fácil trazar otros paralelismos más entre Pablo y Lulio: sus respectivas conversiones, sus temporadas consiguientes de soledad, sus visiones, sus incesantes trabajos, su pasión para Cristo, sus sufrimientos y naufragios, su fuerza y actividad intelectuales, sus martirios —que muestran la ley de Cristo, suprema en la muerte y en la vida—, sus pensamientos, propósitos, gustos, ocupaciones, amistades, sacrificios. Pero la esencia de todas estas comparaciones, la esencia real de todo verdadero carácter misionero, es que nos posea la vida de Cristo como tal, y la consiguiente capacidad de dar a los hombres, no solamente una doctrina nueva, no una verdad nueva, sino una nueva vida. Ésta es precisamente la obra de las misiones: un cuerpo de hombres y mujeres, que conocen a Cristo, y que por tanto tienen vida en sí mismos, que salen de la iglesia para ir por todo el mundo. Estos hombres y mujeres fijan su residencia tranquila entre pueblos muertos, y se produce la resurrección de entre estas gentes, primero de uno, luego de algunos, y después cada vez más, que sienten la vida, la reciben y viven. Lulio procuró prepararse en todos sentidos para el contacto con los hombres a fin de poder penetrar en lo más íntimo y profundo de su vida y poder así plantar la simiente de la vida eterna que él llevaba. Por eso aprendió el árabe, se hizo maestro de la filosofía musulmana, estudió geografía y el corazón del hombre. Y, por eso, también se hizo estudiante de lo que hoy llamaríamos religión comparada. Sin embargo, había una gran diferencia entre su punto de vista y el de una gran parte de los modernos expertos en religión comparada. Lulio no creía que el cristianismo fuera una religión incompleta e insuficiente. Él no estudiaba otras religiones con el fin de tomar de ellas ideales que creía ausentes en el cristianismo. Tampoco se propuso deducir de todas las religiones un fondo común de principios generales que se hallaran más o menos en todas y considerar estos como la religión por antonomasia. Él estudió otras religiones para hallar cómo llegar mejor a los corazones de sus partidarios con el evangelio, perfecto y completo en sí mismo, sin carencia alguna y sin necesidad de nada que otra doctrina pudiera darle. Para él había entre el cristianismo y las demás religiones una diferencia, no de grado solamente, sino de calidad. El cristianismo posee algo que a ellas les falta, algo deseable. El cristianismo carece de lo indigno que ellas poseen. Sólo él satisface. Sólo él es vida. Ellas son sistemas sociales o políticos, religiones de libros, métodos, organizaciones. Él y sólo él es vida, vida eterna. Lulio estudiaba otras religiones, no para descubrir lo que ellas pudieran dar al cristianismo, pues no tiene nada que dar, sino para hallar cómo podía él dar a los que las seguían la vida verdadera, la que es vida, ¡la que ningún hombre jamás hallará hasta que la halle en Cristo!

Por mucho que sea de bendición la influencia de Lulio sobre la vida y experiencia cristianas de todos los que lean este libro, la bendición no alcanzará su propósito completo si no se sienten llevados al deseo de reparar una negligencia de siglos. Hace seis[3] siglos que Lulio cayó en

---

3 Hoy ya son siete siglos. A lo largo de todo el libro el lector ha de tener presente que las referencias históricas se toman desde la perspectiva de la época y contexto del autor. Esto afecta también a referencias geográficas que hoy haríamos de otra manera y a consideraciones estadísticas que, obviamente, han cambiado. Asimismo, cualquier análisis de la historia o cualquier previsión de la evolución del islam o de las misiones debe leerse siempre teniendo en cuenta la perspectiva de finales del siglo XIX y principios del XX. [Nota del editor]

Bugía. ¿No ha de dar fruto nunca aquel martirio? ¿No hemos de despertar nosotros por fin del sueño de generaciones y dar al Salvador su sitio sobre el profeta y a la media luna su lugar por debajo de la cruz?

Robert E. Speer

PREFACIO

∗≪

El sujeto de esta biografía está reconocido por todos los escritores de historia de las misiones como el eslabón único que enlaza los apóstoles del norte de Europa y los guías que siguieron a la Reforma. Eugenio Stock, el secretario editorial de la Church Missionary Society (Sociedad Misionera de la Iglesia Anglicana) afirma que «no hay figura más heroica en la historia de la cristiandad que la de Raimundo Lulio, el primero y quizás el más grande misionero de los que han evangelizado a los musulmanes».

No existe ninguna biografía completa de Lulio en inglés y, ya que el siglo veinte ha de ser fundamentalmente un siglo de misiones a los musulmanes, debemos rescatar del olvido la memoria del explorador.

Sus especulaciones filosóficas y sus numerosos libros han perdido gran parte de su valor, dado que los conocimientos de que disponía eran parciales. Pero su abnegado amor nunca se desvaneció y su memoria no puede perecer.

Su biografía subraya su propio lema:

«El que vive por la Vida no puede morir».

Esta parte de la vida de Lulio es la que contiene un mensaje para nosotros hoy, y nos llama para recuperar al mundo musulmán para Cristo.

Samuel M. Zwemer
Bahrein, Arabia, marzo de 1902.

CAPÍTULO 1

Europa y los sarracenos en el siglo XIII
(A.D. 1200-1300)

«Aunque la historia de una época se desarrolla de una vez no se puede escribir toda de una vez. Los misioneros van adelante en sus mandatos de amor, los teólogos construyen sus sistemas, los perseguidores matan a los creyentes, los prelados buscan la supremacía, los reyes contienen el avance de los eclesiásticos; todo esto y una infinidad de detalles más se desarrolla en el mismo período de tiempo».

—Shedd, *History of Doctrine* (Historia de la Doctrina)

No podemos comprender a alguien si no conocemos el ambiente en que se mueve. La biografía es un hilo, pero la historia es un tejido en el cual el tiempo es ancho, a la vez que largo. Para desenredar el hilo sin romperlo, debemos aflojar todo el tejido. Para comprender a Raimundo Lulio hemos de retroceder setecientos años y ver a Europa y los sarracenos como eran antes de que amaneciera el Renacimiento y apuntara la Reforma. Aunque la sombra de los tiempos oscuros gravitaba pesadamente sobre él, el siglo XIII fue una época de grandes acontecimientos, al menos para Europa. El poder enorme del Imperio estaba decayendo y surgían estados independientes en Alemania y en Italia. El crecimiento de la libertad civil, aunque todavía en sus primeros pasos, daba ya fruto en la mayor amplitud de las ideas y en la fundación de las universidades. En Inglaterra, normandos y sajones habían llegado a ser por fin una nación; se firmó la Carta Magna y se convocó el primer Parlamento. Por el tiempo en que Lulio nació, los tártaros invadieron Rusia y saquearon Moscú; sarracenos y cristianos se disputaban no solamente la posesión de la Tierra Santa, sino también el dominio del mundo.

Aunque en el Oriente la prolongada pugna por Jerusalén había terminado con la derrota de los cristianos, permanecía el espíritu de las cruzadas. El mismo siglo que presenció la caída de Acre, fue también testigo de la caída de Bagdad y la extinción del Califato. En España, el rey Fernando arrancaba una ciudad tras otra a los «moros», que se atrincheraban en su último baluarte, Granada. El año 1240 marca el auge de los turcos otomanos; Lulio era entonces un niño de cinco años. Antes de que llegara a los veinte, Luis IX había fracasado en su cruzada y había caído prisionero del sultán de Egipto. Emperadores habían depuesto a papas, y papas a emperadores. La Inquisición había empezado en España a torturar judíos y herejes. En Colonia se echaban los cimientos de la gran catedral y en París los hombres hacían experimentos con el nuevo gigante, la pólvora.

Toda Europa estaba agitada con los cambios políticos y de expectativas sociales.

En el mismo siglo tenían lugar en Asia súbitas y subversivas revoluciones. Las hordas mongolas comandadas por Genghis Khan se derramaron, como aguas largo tiempo contenidas, sobre todos los países del Oriente. El Califato de Bagdad cayó para siempre ante la furiosa embestida de Hulaku Khan. El imperio de los seléucidas llevó pronto su dominio musulmán hasta las cordilleras de Anatolia y los turcos se disputaban con los mongoles la soberanía sobre el Tíbet.

Los efectos beneficiosos de las cruzadas empezaban ya a sentirse en el desmoronamiento de los dos enormes edificios de la Edad Media, el Pontificado y el Imperio, que dominaban como ideales y como realidades. El sistema feudal empezaba a extinguirse. La invención y aplicación del papel, de la brújula marinera y de la pólvora anunciaban las épocas de la imprenta, de la exploración y la conquista que habían de comenzar en el siglo siguiente. La oscuridad no era la de media noche, aunque todavía no rayaba el alba. Era la hora del canto del gallo. En el año 1249 se fundó la Universidad de Oxford. En 1265 nació Dante en Florencia. La búsqueda de la verdad por los filósofos era todavía un juego de palabrería dialéctica, pero Tomás de Aquino, Buenaventura de Fidanza y Alberto Magno dejaron también un caudal de pensamiento. Los dos primeros murieron el mismo año en que Raimundo Lulio escribió su *Ars Demonstrativa*. Fue en el siglo XIII cuando la ciencia física salió a la vida en su arduo parto en las celdas de Gerberto de Reims y Rogelio Bacon. Pero el vulgo tenía a estos hombres por hechiceros, y el clero por herejes, de modo que se les premió con el calabozo. Marco Polo, el más célebre de todos los viajeros, pertenece al siglo XIII, e hizo para Asia lo que Colón para América. Su labor fue un eslabón en la cadena providencial que a la postre sacó a luz el Nuevo Mundo. Pero ambos, Marco Polo y Rogelio Bacon se adelantaron a su época. Gibbon dice con razón que, «si los siglos IX y X fueron una era de oscuridad, los siglos XIII y XIV fueron la época del absurdo y de la fábula». El pensamiento se hallaba aún bajo el terror, al considerar la suerte que amenazaba a herejes y rebeldes.

Los mapas del siglo XIII no manifiestan ningún aprecio por los descubrimientos de Marco Polo. El mundo, como lo conocía Raimundo Lulio, era el mundo de las leyendas medievales y de la antigua tradición. La superficie terrestre se representaba como un disco circular rodeado por el océano. El punto céntrico era la Tierra Santa o Jerusalén, según la profecía de Ezequiel. El Paraíso ocupaba el extremo oriental, y Gog y Magog estaban al norte. Las columnas de Hércules indicaban el límite occidental, y aun la nomenclatura de la Europa meridional era vaga y escasa. Es interesante notar que la primera gran mejora en estos mapas tuvo lugar en Cataluña, la zona de España donde vivieron los antepasados de Lulio. El notable mapa catalán del año 1375, existente en la biblioteca de París, es el primer mapamundi que desecha todas las teorías pseudo teológicas e incorpora la India y la China como parte del mundo. Casi todos los mapas de la Edad Media son inferiores al reproducido en nuestra ilustración. Artistas ingeniosos disimulaban su ignorancia y daban vida al disco del mundo pintando ciudades amuralladas, pueblos encastillados y leones que rugían en selvas imaginarias. Swift satirizó a sus descendientes coetáneos como:

«Geógrafos que el mapa de África
llenan con cuadros salvajes,
y allí donde faltan pueblos
ponen grandes elefantes».

En cuanto a la actitud general de las masas respecto del progreso intelectual, un escritor observa justamente: «No faltaban ciertamente elementos de vigor natural listos para brotar. Pero frente a la dominante esfinge oscurecedora de la teología se echaba en falta el valor que resulta del conocimiento y la tranquila fuerza que nace de una actitud mental

positiva. Bien podemos decir que la gente natural e indocta tenía la justa intuición necesaria en mayor medida que la gente docta, educada en las escuelas. El hombre y el universo real persistían en afirmar sus derechos y demandas de una o de otra manera; pero siempre se les rechazaba de nuevo a las heladas regiones de las abstracciones, ficciones, visiones, esperanzas y temores de espectros, en medio de las cuales la inteligencia avanzaba como sonámbula sobre un camino desconocido.

La moralidad de la Edad Media presenta extraños contrastes. Tanto en un mismo país como en el individuo en particular, encontramos frente a frente en convivencia una fe sublime y una superstición degradante, una pureza angélica y señales de grosera sensualidad. Era una época de caridad llena de abnegación en favor de los cristianos que sufrían y de crueldad bárbara contra infieles judíos y herejes. Los ricos pagaban sumas inmensas para rescatar a un esclavo cristiano, capturado por los sarracenos; y la Iglesia invertía sumas inmensas para perseguir a los que se desviaban de la fe. Cuando los cruzados guiados por Godofredo de Bouillón (que rehusó llevar una corona de oro donde el Salvador había llevado una de espinas) llegaron a la vista de Jerusalén, besaban el suelo y avanzaban de rodillas en oración penitente. Sin embargo, después de la toma de la ciudad, mataron atrozmente a setenta mil musulmanes, quemaron a los judíos en sus sinagogas, y caminaron sobre charcos de sangre al Santo Sepulcro para ofrecer acciones de gracias. El estado general de la moralidad, aun entre los papas y el clero, era bajo. Gregorio VII e Inocencio III fueron grandes papas y enérgicos reformadores de un clero corrupto; pero constituyen excepciones en la larga lista. Uno de los papas fue depuesto acusado de incesto, perjurio, asesinato y blasfemia. Muchos alcanzaron su poder por la simonía. El concubinato y los vicios contra naturaleza eran predominantes entre el clero en Roma. Inocencio IV, que subió al solio papal el mismo año en que nació Lulio, fue un desaforado tirano. Nicolás III y Martín IV, que fueron papas hacia fines del siglo XIII, rivalizaron en infamias. El pontificado del primero se caracterizó de tal modo por la rapacidad y el nepotismo, que Dante le consignó a su «Infierno». El último fue el instigador sanguinario de las terribles Vísperas Sicilianas.

Martensen dice que «la ética de esta época ostenta a menudo una mixtura de la moral cristiana con la de Aristóteles». Y esto es natural si recordamos que Tomás de Aquino representa la cima tanto de la moral como de la dogmática de la Edad Media. Los pecados se dividían en carnales y espirituales, veniales y mortales. El camino a la perfección se alcanzaba mediante votos monásticos de pobreza, celibato y obediencia.

La poesía del período refleja el mismo extraño contraste entre la piedad y la sensualidad, entrando en ella los himnos más tiernos de devoción y las canciones de las bacanales. Los siete grandes himnos de la iglesia medieval han desafiado y humillado la capacidad de los mejores traductores e imitadores. La emoción admirable del «Stabat Mater Dolorosa» y la fuerza terrible del «Dies Irae», se dejan sentir aun en sus traducciones más pobres. A pesar de las objeciones doctrinales, ¿qué protestante de habla inglesa no se conmueve ante la admirable traducción del «Stabat Mater» a cargo de Cole?

Sin embargo, la misma época tenía sus «Carmina Burana», escritas por Goliardi y otros, en las que comparten protagonismo Venus y Baco, con predominio del elemento sensual. No hace falta recordarnos que el amante de Beatriz tenía mujer e hijos, o que el poeta de Laura tenía un hijo y una hija de una concubina. Y ni Dante ni Petrarca eran excepciones entre los poetas de la Edad Media en este punto. Era un mundo de oscuridad.

El siglo XIII fue también una época de superstición, un tiempo de espíritus y visiones, milagros y fanatismo. Los «flagelantes» andaban de pueblo en pueblo, llamando a las personas al arrepentimiento. Ceñidos con sogas, con ropa muy escasa o enteramente desnudos, se azotaban en las calles. La secta se extendió como la peste desde Italia a Polonia, propagando doctrinas extravagantes y causando a menudo sediciones y asesinatos. Catalina de Siena y Francisco de Asís tenían visiones nacidas del fervor de su amor. El último llevaba los estigmas y murió de las heridas de Cristo, que según se decía se imprimieron sobre sus manos y su costado por un éxtasis ante la contemplación y el amor del Redentor crucificado. El autor de los dos himnos más hermosos de la Edad Media llegó a extremos fanáticos en la tortura de sí mismo para expiar sus propios pecados y para el bien de otros. En el año 1228 Pedro Nolasco tuvo una visión de la Virgen María y desde aquel día dedicó toda su propiedad a comprar la libertad de cristianos cautivos de sus amos árabes. Fundó la orden de los mercedarios, cuyos miembros llegaban hasta entregarse a sí mismos a la esclavitud a fin de salvar a algún correligionario de la apostasía al islam. Durante los siglos XII y XIII las órdenes monásticas crecían en número y en influencia. Ellas formaban el ejército permanente del papado y generalmente fomentaban la educación, la ciencia y el arte. Los franciscanos eran una de las órdenes más poderosas, a pesar de ser una de las últimas.

En 1264 esta orden tenía ocho mil conventos y doscientos mil frailes. Algunos de estos frailes eran santos, algunos estudiosos, y algunos vividores. Al lado de la desmedida superstición y la completa ignorancia de la mayoría de los clérigos, encontramos, entre unos pocos, genios intelectuales y manifestaciones maravillosas de amor abnegado. A pesar de eso se parodiaban las solemnidades más sagradas. En la «Fiesta de los locos», que se celebraba en Francia el día del año nuevo, se representaban papas, obispos y abades burlescos, y todos sus oficios sagrados se remedaban de una manera blasfema.

El misticismo práctico, que no se ocupaba de la filosofía sino de la salvación personal, era común en el siglo XIII, especialmente entre las mujeres de las provincias. Santa Hildegarda, Matilde y Gertrudis la Grande, son ejemplos notables. También había tentativas de reformar la Iglesia y los abusos de los clérigos.

Los albigenses y los valdenses fueron en muchos sentidos precursores del protestantismo. Otras sectas numerosas, menos puras en doctrina y moralidad, se levantaron en aquel entonces y se extendieron por todas partes, desde la España oriental hasta el norte de Alemania. Todas ellas coincidían en oponerse a la autoridad eclesiástica, y a menudo a la del estado.

Tal era la condición política, intelectual, moral y religiosa de Europa en los días de Raimundo Lulio.

El mundo mahometano se hallaba también en un estado de fermentación. Los cruzados enseñaron a los sarracenos al mismo tiempo la fuerza y la debilidad del cristianismo medieval. El campo de batalla de las Navas de Tolosa, cubierto con doscientos mil musulmanes muertos, fue el doblar a muerte para el islam en España. El dominio y la cultura de los sarracenos en Granada eran solamente el resplandor que sigue al ocaso, glorioso pero pasajero. Lo que los sarracenos perdieron de territorio en Occidente, lo compensaron con sus conquistas: Siria y Oriente. En el año 1250 los sultanes mamelucos empezaron a reinar en Egipto, y bajo el reinado de Baybars I, el Egipto musulmán alcanzó el cenit de su fama. En el siglo XIII el islam era una potencia, no tanto por sus conquistas con la espada como por sus conquistas con la pluma. La filosofía musulmana interpretada por Alkindi, Alfarabi, Avicena y Algazel, pero sobre todo la filosofía de Averroes, se enseñaba en todas las universidades. Aristóteles hablaba en árabe antes de ser retraducido a los idiomas de Europa. «Los sarracenos», dice Myers, «eran durante la Edad Media poco menos que los únicos depositarios de los conocimientos científicos del mundo». Mientras que las naciones occidentales eran demasiado ignorantes para conocer el valor de los tesoros de la antigüedad, los musulmanes los preservaban por la traducción al árabe de las obras científicas de los griegos». Esta erudición llegó en parte a Europa por medio de los cruzados, pero había llegado antes y en mayor escala por las escuelas árabes de España. Ningún otro país en Europa tenía un contacto tan estrecho con el islam, para bien y para mal, como los reinos de Castilla, Navarra y Aragón. Allí la pugna era de la mente tanto como de la espada. Durante tres siglos se peleó una cruzada por la verdad, al tiempo que cristianos y musulmanes se batían en el campo de batalla. En este conflicto jugaron su papel los antepasados de Raimundo Lulio. Durante todos los años de la vida de Lulio, el dominio musulmán se mantuvo en Granada contra los reinos unidos españoles. Hasta el año 1492 no se expulsó al sarraceno de la Europa meridional.

En cuanto a misiones en el siglo XIII, poco se puede decir. Había unas pocas almas escogidas a quienes el Espíritu de Dios iluminaba para ver las necesidades espirituales de sarracenos y de mongoles y para predicarles el evangelio. En el año 1256 Guillermo de Rubruquis fue enviado por Luis IX al Gran Kan, en parte como diplomático, en parte como misionero. En el año 1219, Francisco de Asís, haciendo gala de un valor demencial, entró a la presencia del sultán en Damietta y proclamó el camino de la salvación, ofreciéndose a sufrir la terrible prueba del fuego para probar la verdad del evangelio. El general dominico Raimundo de Peñafort, que murió en el año 1273, también se dedicó a las misiones para los sarracenos, pero sin éxito.

El único espíritu misionero de los siglos XII y XIII era el de los cruzados. Ellos tomaron la espada y perecieron por la espada. Pero «Raimundo Lulio se levantó como un caso excepcional, hacia el cual habían de volverse los ojos de toda la cristiandad por muchos días, para demostrar lo que las cruzadas hubiesen podido ser y hacer por el mundo si se hubieran peleado por medio de la cruz, con las armas de aquel cuyas últimas palabras en ella fueron de perdón y paz»[1]

---

1 George Smith. *A Short History of Missions.*

CAPÍTULO 2

≫€

La cuna y juventud de Raimundo Lulio
(A. D. 1235-1265)

«Creo que entiendo mejor al altivo, endurecido y sobrio español, y su varonil actitud ante la adversidad, desde que he visto el país en que habita... El país, las costumbres y aun la apariencia misma de las gentes, tienen algo del carácter árabe».
—Washington Irving, *Cuentos de La Alhambra* (1831).

Raimundo Lulio nació en una ilustre familia de Palma de Mallorca, el año 1235.[1] Su padre había nacido en Barcelona y pertenecía a una distinguida familia catalana. Cuando Jaime I, rey de Aragón, arrebató a los sarracenos la isla de Mallorca, el padre de Lulio servía en el ejército conquistador. En recompensa a sus servicios se le premió con una donación de terreno en el territorio conquistado, y las tierras aumentaron su valor bajo el nuevo dominio.

La Europa meridional entre el Atlántico y el Adriático es casi un duplicado del África septentrional en cuanto al clima y al paisaje. Cuando los árabes cruzaron a España y ocuparon las islas del Mediterráneo occidental se sintieron como en su tierra. Dejaron huellas de su conquista no solamente en los nombres de los ríos y sierras y en la arquitectura de España, sino hasta en las costumbres populares, en la literatura y en la vida social.

---

1 Algunos expertos dan la fecha de 1234, y uno 1236, pero la mayoría está de acuerdo en el año 1235. Véase Baring Gould, *Life of the Saints* (Vida de los Santos), tomo VI, p. 489.

Cataluña, tierra de los antepasados de Lulio y por algún tiempo de él mismo, tiene más de doscientos kilómetros de ancho y unos trescientos de largo, con una costa de casi cuatrocientos kilómetros. Cuenta con importantes montañas en el norte, tres ríos considerables y tanto bosques como prados. El clima es sano, a pesar de las frecuentes nieblas y lluvias, los cambios bruscos de temperatura y el gran calor del mediodía. Las montañas, el clima y la historia han dejado su impronta sobre el pueblo. Los catalanes son de origen distinto al resto de habitantes de España y hasta hoy mantienen diferencias en el habla, la apariencia y el carácter. Hacia el año 470 A.D. esta parte de la península fue ocupada por los godos, siendo llamada por esta razón Gotalandia[a] y más tarde Cataluña. En el 712 se apoderaron de ella, como de casi toda la península, los berberiscos, que, a su vez, fueron arrojados por los naturales del país y las tropas de Carlomagno. En el año 1137 Cataluña se incorporó a la Corona de Aragón. Los catalanes, por lo tanto, son una raza mixta. Siempre se distinguieron por su sobriedad, buen humor y laboriosidad; tienen abundante orgullo nacional y un fuerte espíritu emprendedor. El idioma catalán y su extensa literatura se distinguen por completo de los de las demás regiones españolas. Las obras poéticas de Lulio se cuentan entre los ejemplos más antiguos que se conservan de la literatura catalana.

Las Islas Baleares estuvieron siempre ligadas a Cataluña, como se aprecia en el carácter de su población y su idioma. Durante un día despejado las islas se divisan claramente desde el Monasterio de Montserrat. Por mar, la distancia que separa a Barcelona de Palma es solamente doscientos veinticinco kilómetros. Entre estos dos puertos hubo siempre y hay ahora un tráfico muy animado. Mallorca tiene un área de dos mil trescientos kilómetros cuadrados, un clima delicioso, un paisaje magnífico, y un puerto espléndido: Palma. Algunos de sus valles, como Valldemosa y Sóller, gozan merecida fama por su pintoresca exuberancia. Las pendientes septentrionales de las sierras se hallan dispuestas en forma de terrazas, y en las llanuras abundan por todas partes el olivo, la vid y el almendro. Según la descripción de viajeros modernos, es un paraíso terrenal. Durante el verano hay escasez de agua; sin embargo, siguiendo un sistema procedente de los árabes,

---

a Estas observaciones pertenecen a su época, finales del xix y principios del xx. Por ejemplo, hoy hay consenso en que la etimología de Cataluña tiende más a relacionarse con «tierra de castillos» que con «tierra de godos». [Nota del editor]

las lluvias de otoño se recogen en grandes depósitos. Cada propietario riega sus campos pagando cierta suma.

Palma, cuna de Lulio y lugar que guarda su sepultura, es una bella ciudad de calles estrechas y con cierto aspecto medieval, con excepción de la parte donde el comercio moderno ha suplantado a los edificios de carácter morisco.

La catedral es aún un edificio prominente. Empezó a construirse en el año 1230 y fue dedicada a la Virgen por el mismo rey Jaime que dio terrenos al padre de Lulio cerca de Palma. Todavía quedan partes del edificio original, y el visitante puede entrar en la capilla real (construida en 1232). Quien la visita puede tener la certeza de que Lulio, si no estuvo allí alguna vez, al menos contempló a menudo el exterior del edificio.

Palma debe probablemente su nombre y puerto a Metellus Balearicus, que en el año 123 A.C., estableció en la isla a tres mil colonos romanos e hispanos. Tal expedición se simboliza en las monedas romanas con un ramo de palma. También dio su nombre al grupo de islas. Los lanzadores con honda de las Baleares son nombrados con elogio en *De bello gallico* de César.

Hoy en día[b] Palma es un puerto pequeño de mucho movimiento y mantiene un comercio directo con Valencia, Barcelona, Marsella, Cuba, Puerto Rico y aun con puertos de la América del Sur. Su población asciende a unos sesenta mil. En otra época Palma fue un gran centro para la construcción de buques y hay poca duda de que en el tiempo de Lulio esta industria dio también importancia al pueblo. Ya en el siglo XIV se construyó un muelle de una longitud de trescientos cincuenta y cuatro metros, para mejorar las condiciones de su puerto. Esta pintoresca ciudad fue el suelo natal de nuestro héroe y todavía hoy sus habitantes conducen con orgullo a los forasteros a la iglesia de San Francisco, donde él yace sepultado. En el año 1886, Rosselló imprimió y publicó una nueva edición de las obras de Lulio, en Palma.

El significado o la derivación del apellido de Lulio se perdió en la oscuridad. Su nombre, Raimundo, es teutónico y significa «protección sabia» o «limpio en el habla». Lo llevaron dos condes distinguidos de Tolosa (Francia). Uno de ellos, Raimundo IV, tomó parte en una cruzada, (1045-1105). El otro (1156-1222) amparó a los albigenses contra el papa. Es posible que Lulio recibiera su nombre en memoria

---

b Debe recordarse que estas palabras pertenecen a un observador de hace cien años. [Nota del editor]

de uno de aquellos héroes militares, cuyas proezas se conocían bien en Cataluña.

De la infancia y juventud de Lulio no se sabe nada cierto. Desde su nacimiento, estuvo acostumbrado al lujo de la Edad Media, pues sus padres poseían grandes terrenos y su padre se había distinguido por sus servicios como guerrero. Lulio se casó muy joven. Aficionado a los placeres de la corte, salió de Palma y se trasladó con su joven esposa a la península, donde fue nombrado senescal en la corte del rey Jaime II de Aragón. De este modo pasó los años de la adolescencia en alegría, y hasta en libertinaje. Todo el entusiasmo y ardor de su carácter se proyectaban de forma exclusiva en los placeres de la corte. Según su propio testimonio, llevó una vida disoluta en aquella época de costumbres licenciosas. El vino, las mujeres y el canto eran entonces, como a menudo han seguido siendo, los placeres principales de reyes y príncipes. A pesar de su casamiento, que había sido bendecido con hijos, Lulio buscaba fama de galán y se halló envuelto en más de una intriga amorosa. Su posición le ofrecía tentaciones y oportunidades en abundancia para esta clase de vida.

Un senescal (literalmente: criado anciano) era el oficial de más importancia en la casa de un príncipe o noble de la Edad Media y tenía a su cargo las fiestas y ceremonias. Estas deben de haber tenido lugar con frecuencia y con lujo en la corte de Jaime II, pues Aragón, antes del reinado de Fernando e Isabel, gozaba del gobierno más liberal de Europa. Según un historiador, «el genio y los principios de la corte eran puramente republicanos. Los reyes eran sometidos a votación, mientras que el verdadero ejercicio del poder estaba en manos de las Cortes, una asamblea que constaba de la nobleza, los caballeros, los representantes de las ciudades y los del clero. Veinte soberanos reinaron desde el año 1035 hasta el año 1516. En tal corte y en medio de tal asamblea, probablemente en la capital Zaragoza, Lulio pasó varios años de su vida. Se había entregado a la música desde muy joven y tocaba la cítara con destreza. Pero más fama tenía todavía como poeta cortesano.

Según su propia confesión, el tema de sus efusiones poéticas era a menudo los goces del amor desordenado. «Veo, oh Señor», dice en sus *Contemplaciones*, «que los árboles producen cada año flores y fruta, cada uno según su género, de donde la humanidad obtiene placer y provecho. Pero no fue así conmigo, pecador de mí; en treinta años no he producido fruto en este mundo, estorbaba la tierra, y aun era nocivo y pernicioso a mis amigos y mis vecinos. Por tanto, ya que un mero árbol, que ni tiene juicio ni entendimiento, es más fructífero de lo que yo he sido, me avergüenzo en extremo y me tengo por digno de gran reproche».[2] En otra parte del mismo libro da gracias a Dios por la gran diferencia que ve entre las obras de su vida posterior y las de su juventud. En aquel entonces, dice que todas sus acciones eran pecaminosas, y él gozaba de los placeres de una sociedad pecaminosa.

Raimundo Lulio estaba dotado de grandes talentos intelectuales y de entusiasmo. Tenía alma de poeta; pero al principio su genio se envileció en el cieno de los placeres sensuales, como el de otros poetas, cuyas pasiones no están gobernadas por la religión. Sin embargo, no haríamos justicia a Lulio si juzgáramos su vida en la corte por las normas de nuestro siglo cristiano. El ambiente que le rodeaba era el de la Edad Media, y él era un alegre caballero en los banquetes de Jaime II, antes de hacerse filósofo, escolástico y misionero. Como caballero conocía tan bien la guerra y la equitación que entre sus libros hay varios tratados sobre estas artes,[3] primeramente escritos en catalán y después traducidos al latín. Sin duda, estos se escribieron como sus poesías amatorias, antes de alcanzar la edad de treinta años. Era el poeta más popular de su época en España y su influencia sobre la poesía catalana se reconoce en tales términos de alabanza por los eruditos en la historia de la literatura española, que se le podría llamar el fundador de la escuela catalana de poesía. La importancia filológica de los escritos catalanes de Lulio quedó demostrada por Adolph Helfferich en su libro sobre Lulio y el nacimiento de la literatura catalana (*Raymund Lull und die Anfänge der catalanischen Literatur*, Berlin, 1858). En aquella obra se dan muestras de su poesía y proverbios.

Parece que a la edad de treinta y dos años más o menos volvió a Palma, aunque sus biógrafos no dan la fecha con seguridad. No importa la fecha exacta; fue en su país natal donde Lulio nació de nuevo. Fue en la iglesia franciscana, y no en la corte de Aragón, donde recibió su llamamiento final y se decidió a renunciar a todo y hacerse predicador de justicia. El hijo pródigo volvió en sí mientras trabajaba entre la piara. Sus pies ya se dirigían hacia su casa, cuando vio a su padre; le vio, y su padre corrió afuera para encontrarle. La historia de San Agustín en el huerto de Milán se repitió en Palma.

---

2 *Liber Contemplationis in Deo*. IX, 257, ed. 1740.

3 Para una lista de estas obras, véase Helfferich, p. 74, nota.

Capítulo 3

La visión y el llamamiento a servir
(A. D. 1266-1267)

«Y después de esto derramaré mi espíritu sobre toda carne, y profetizarán vuestros hijos y vuestras hijas; vuestros ancianos soñarán sueños, y vuestros jóvenes verán visiones».

—Joel 2:28.

Cuando San Pablo relató al rey Agripa la historia de su vida, la clave para ella se encontraba en las palabras, «no fui rebelde a la visión celestial». La visión había llegado a él y le había sacado al punto de su carrera de acérrimo perseguidor. Todo lo que había hecho o intentaba hacer, pertenecía desde aquel momento al pasado. Se levantó del suelo y emprendió su vida de nuevo como alguien que no podía desobedecer a la visión. Fue una visión de Cristo la que hizo de Pablo un misionero. Y no era éste el último ejemplo del cumplimiento de la gran profecía de Joel.

Aun el siglo XX no se atreve a burlarse de lo sobrenatural; una filosofía materialista no puede explicar los fenómenos del mundo del espíritu. Los cristianos del siglo XIII creían y recibían visiones. Aunque una época de visiones está expuesta a ser una época visionaria, no fue del todo así con el siglo XIII. Las visiones de Francisco de Asís, de Catalina de Siena, de Pedro Nolasco y de otros de esta época, tuvieron un efecto tremendo sobre sus vidas y su influencia. Podemos dudar de la visión, pero no de sus resultados en las vidas de aquellos que profesan haberlas tenido. Llámeselo alucinación religiosa o imaginación piadosa si se quiere, pero incluso así tiene fuerza. Ruskin dice que tal imaginación nos es dada «para que podamos tener visiones del ministerio de los ángeles a nuestro lado y ver los carros de fuego sobre los montes que nos rodean». En aquel siglo de idolatría mariana, adoración de ángeles e imitación de santos, no fue una visión de esta clase la que cautivó a Lulio, sino una visión de Jesús mismo. La historia, relatada en una biografía escrita con su consentimiento en sus días, es como sigue:

Una tarde, el senescal estaba sentado sobre un diván, con su cítara sobre las rodillas, componiendo un canto en alabanza de una dama noble casada que le había fascinado, pero que era insensible a su pasión. Súbitamente, en medio del himno erótico, vio a su derecha al Salvador colgado en la cruz, con la sangre goteando desde sus manos, pies y frente, y mirándole con expresión de reproche. Raimundo, redargüido por su conciencia, se levantó; no podía cantar más; dejó su cítara y, hondamente conmovido, se acostó. Ocho días después, intentó de nuevo acabar el himno y otra vez tomó por tema los ruegos de un amante despreciado. Pero una vez más, como antes, le apareció la imagen del amor divino encarnado, la figura agonizante del Varón de Dolores. Los ojos moribundos del Salvador estaban fijos sobre él, llenos de tristeza y súplica.

> Sus manos, su costado y pies
> de sangre manaderos son
> y las espinas de su sien
> mi aleve culpa las clavó.

Lulio dejó a un lado el laúd y se echó sobre la cama, presa del remordimiento. Había visto el más sublime y profundo amor, despreciado. Pero la idea de que

> «un amor tan asombroso y divino demanda nuestra vida, nuestra alma, nuestro todo»

no había surgido aún en su mente. El efecto de la visión era tan transitorio que no estuvo preparado para rendirse hasta que no se repitió una y otra vez.[1] Entonces Lulio no pudo resistirse al pensamiento

---

1 «Tertio et quarto successivo diebus interpositis aliquibus Salvator in forma semper qua primitus, apparet». (Por tres y cuatro veces, con intervalos de algunos días, se le apareció el Salvador siempre en la misma forma que la vez primera). *Acta Sanctorum*, p. 669.

de que esto era un mensaje especial para él mismo, para vencer sus bajas pasiones y consagrarse enteramente al servicio de Cristo. Sintió, como grabado sobre su corazón, el sublime espectáculo de la abnegación divina. Desde entonces en adelante sólo tuvo una pasión: amar y servir a Cristo. Pero aquí surgió una duda: ¿cómo podré yo, manchado de impureza, levantarme y empezar una vida más santa? Se nos dice que, noche tras noche, quedaba desvelado, presa del desaliento y de la duda. Lloró como María Magdalena, recordando cuánto y cuán profundamente había pecado. Al fin se le ocurrió el pensamiento: Cristo es manso y lleno de compasión; él invita a todos a acercarse a él; no me rechazará. Con este pensamiento vino el consuelo. Por haberle sido perdonado tanto, amó tanto más, y decidió abandonar el mundo y renunciar a todo por amor del Salvador. Cómo fue confirmado en su resolución, lo veremos luego.

Entre paréntesis, es necesario dar un segundo relato de la conversión de Lulio, que cuenta el autor de *Acta Sanctorum*. Dice que la considera «improbable pero no imposible». Según esta historia, Lulio pasaba un día por delante de la ventana de la casa donde vivía la dama Ambrosia, la señora casada cuyo amor procuraba ganar en vano. Al pasar vio por un momento su cuello y seno de marfil. Al punto compuso y cantó un himno a su hermosura. La señora le hizo llamar y le mostró su pecho, que él había admirado tanto, carcomido por un espantoso cáncer. Luego le rogó llevara una vida mejor. A su vuelta a casa, Cristo se le apareció, y le dijo: «Raimundo, sígueme». Renunció a su posición en la corte, vendió todas sus propiedades y se apartó al retiro de una celda sobre el Macizo de Randa. Esto fue allá por el año 1266. Cuando había pasado nueve años en el retiro, llegó a la conclusión de que Dios le llamaba para predicar el evangelio a los mahometanos.[2]

Algunos biógrafos no mencionan en absoluto este retiro de nueve años en una celda del Macizo de Randa, próximo a Mallorca, aunque todos están de acuerdo en que la conversión de Lulio tuvo lugar en julio de 1266. Las visiones, conflictos y experiencias espirituales por que pasó en el Macizo de Randa le valieron a Lulio el título de «Doctor lluminatus», el erudito alumbrado por el cielo. Y si consideramos la vida que resultó de aquellas visiones, no podemos negar que en aquel siglo oscuro el cielo iluminó en verdad a Lulio para conocer el amor

---

2 Véase el artículo del Rev. Edwin Wallace de la Universidad de Oxford en la Enciclopedia Británica.

de Dios y para hacer la voluntad del Altísimo como ningún otro en su día y su generación.

Volvamos a la historia de su conversión, tal como él mismo la cuenta en aquella obra *Sobre la contemplación divina*, comparable a *Gracia abundante*, de Bunyan[3] y a las *Confesiones*, de San Agustín, como biografía de un alma arrepentida.

Después de las visiones llegó a la conclusión que no podía dedicar sus energías a una obra más sublime que la de proclamar el mensaje de la cruz a los sarracenos. Sus pensamientos se habían de inclinar de un modo natural en tal sentido. Las islas de Mallorca y Menorca habían estado hasta hacía muy poco en manos de ellos. Su padre había desenvainado su espada al servicio del rey de Aragón contra aquellos enemigos del evangelio. ¿Por qué no había de desenvainar el hijo ahora la espada del Espíritu contra ellos? Si las armas carnales de los caballeros cruzados habían fracasado para conquistar Jerusalén, ¿no había llegado la hora de tocar la trompeta para una cruzada espiritual por la conversión de los sarracenos? Tales eran los pensamientos que llenaban su mente. Pero entonces —dice— se presentó una dificultad. ¿Cómo podía él, un laico, en una época en que la iglesia y el clero estaban por encima de todo, empezar una obra semejante? Al instante se le ocurrió que al menos podría comenzar escribiendo una obra que demostrara la verdad del cristianismo y convenciera a los guerreros de la media luna de sus errores. Sin embargo, tal libro no sería entendido por ellos si no lo escribiese en árabe, y él no conocía este idioma. Se presentaron otras dificultades, que casi le llevaron a la desesperación. Inmerso en tales pensamientos fue un día a una iglesia vecina y derramó toda su alma delante de Dios, rogándole que si él era quien le inspiraba aquellos pensamientos, le diera también el poder para realizarlos.[4]

Esto fue durante el mes de julio. Sin embargo, aunque los deseos y la vida vieja estaban pasando, aún no era todo nuevo. Durante tres meses dejó a un lado su gran designio y luchó con las antiguas pasiones

---

3 *Gracia que abundó para el primero de los pecadores*, o *Gracia abundante*, es una admirable biografía de Juan Bunyan, el autor de *El Peregrino*, escrita por él mismo.

4 *Vita Prima*, p. 662. «Dominum Jesum Christum devote, fleus largiter exoravit, quatenus haec praedicta tua quae ipse misericorditer inspiraverat cordi suo, ad effectum sibi placitum perducere dignaretur». (Devotamente y con lágrimas rogó por largo tiempo al Señor Jesucristo que si era él mismo quien en su misericordia había inspirado aquel pensamiento en su corazón, se dignara por su gracia llevarlo a realización). Algunos expertos ponen un breve período de una vuelta atrás entre su conversión y el relato del sermón del fraile que sigue en nuestra narración.

para vencerlas. El día 4 de octubre, fiesta de San Francisco de Asís, Lulio fue a la iglesia de los franciscanos, en Palma, y escuchó de los labios del fraile predicador la historia del «Esposo de la pobreza». Oyó como el hijo de Pietro Bernadone di Mericoni, que en un tiempo había sido el primero en hechos de guerra y en placeres mundanos, fue hecho prisionero en Perugia y enfermó, hasta el punto de estar a las mismas puertas de la muerte; cómo tuvo visiones de Cristo y del mundo venidero; cómo, después de subir de su calabozo, cambió su traje vistoso por el de un mendigo, visitando a los enfermos, asistiendo a los leprosos y predicando el evangelio; cómo en el año 1219, delante de las murallas de Damietta, aquel fraile misionero pasó a los infieles y testificó de Cristo delante del sultán, declarando: «No soy enviado por los hombres, sino por Dios, para mostrarte el camino de la salvación».

Las palabras del predicador reavivaron los fuegos del amor, medio apagados en el corazón de Lulio. Ahora se decidió de una vez para siempre. Vendió todas sus propiedades, que eran considerables, dio el dinero a los pobres, reservando una cantidad escasa para su esposa e hijos. Este fue el voto de su consagración, según sus propias palabras: «A ti, Señor Dios, me ofrezco ahora, y a mi mujer e hijos y todo lo que poseo; y ya que me acerco a ti humildemente con esta dádiva y sacrificio, dígnate aceptar todo lo que ahora doy y ofrezco por amor tuyo, para que mi mujer, mis hijos y yo seamos tus humildes esclavos».[5] Fue un pacto de completa consagración; la reiterada referencia a su mujer e hijos demuestra que las extraviadas pasiones de Raimundo Lulio habían hallado al fin reposo. Era un pacto de familia y por esta señal conocemos que Lulio se despidió para siempre de sus antiguos compañeros y de su vida de pecado.

Tomó el tosco traje de un mendigo, hizo peregrinaciones a distintas iglesias de la isla, y rogó por gracia y ayuda en la obra que había resuelto emprender. El manto de la sucesión apostólica cayó de Francisco de Asís, muerto hacía cuarenta años, sobre el laico de Palma, ahora hombre de treinta años. Lulio derivó en parte su devoción apasionada, ascética y desinteresada de los preceptos y ejemplo de las órdenes mendicantes de la Edad Media. La mayoría de sus biógrafos aseguran que se hizo fraile franciscano, pero esto es dudoso, especialmente si se tiene en cuenta que algunos de sus biógrafos más antiguos fueron miembros de aquella orden y, naturalmente, habían de buscar para ella la gloria de su memoria.

---

5 *Liber Contemplationis in Deo*, XCI, 27.

Eymerich, dominicano catalán e inquisidor de Aragón después del año 1356, declara expresamente que Lulio era un laico comerciante y hereje. Durante el año 1371 el mismo Eymerich señaló quinientas proposiciones heréticas en las obras de Lulio, a consecuencia de lo cual Gregorio XI prohibió algunos de aquellos libros. El franciscano Antonio Wadding y otros defendieron después calurosamente a Lulio y sus escritos, pero los jesuitas han sido siempre hostiles a su memoria. La Iglesia Católica Romana, por tanto, vaciló largo tiempo sobre si debía condenar a Lulio como hereje o reconocerlo como mártir y santo. No fue canonizado nunca por ningún papa, pero en España y en Mallorca todos los buenos católicos le consideran como un santo franciscano. En una carta que recibí del actual obispo de Mallorca, él habla de Raimundo Lulio como de «un hombre extraordinario de virtudes apostólicas y digno de toda admiración».

Federico Perry Noble, hablando de la conversión de Lulio, dice: «Su nuevo nacimiento, nótese bien, resultó de una pasión por Jesús. La fe de Lulio no era sacramental, sino personal y viva, más católica que romana». Así como los catalanes fueron los primeros en alzarse en protesta y revolución contra la tiranía del Estado de la Edad Media, así su paisano se distingue por haberse atrevido a obrar aparte de la tiranía de la Iglesia y haber inaugurado los derechos de los laicos. La vida interior de Lulio tiene su clave en la historia de su conversión. El divino amor encarnado venció al amor carnal, y toda la pasión y poesía del genio de Lulio se humilló en sumisión a la cruz. La visión de su juventud explica el lema de los días de su vejez: «El que no ama, no vive; el que vive por la Vida, no puede morir». La imagen del paciente Salvador siguió siendo, durante cincuenta años, la principal fuerza impulsora de su ser. El amor al Cristo personal llenó su corazón, moldeó su mente, inspiró su pluma y puso en su alma el anhelo de la corona del martirio. Muchos años después, cuando buscaba una prueba razonable para el mayor de los misterios de la revelación y el mayor de los tropezaderos para los musulmanes, la doctrina de la Trinidad, recordó una vez más la visión. Su prueba de la Trinidad era el amor de Dios en Cristo, tal como nos ha sido revelado por el Espiritu Santo.

CAPITULO 4

❧

Preparación para el conflicto
(A.D. 1267-1274)

«Sive ergo Mahometicus error haeretico nomine deturpetur; sive gentilii aut pagano infametur; agendum contra eum est, scribendum est». (Injúriase, pues, al error mahometano con el nombre de herejía; se le infama como gentil o pagano; ha de obrarse, ha de escribirse, contra él).

—Petrus Venerabilis, † 1157.

«Aggredior vos, non ut nostri saepe faciunt, armis, sed verbis, non vi sed ratione, non odio sed amore». (Acométoos, no como los nuestros suelen hacer, con armas, sino con palabras, no con la fuerza, sino con la razón, no con odio sino con amor).

—*Íbid.*

Por su intrépida decisión de enfrentarse al islam con las armas de la filosofía cristiana, y al combatir toda su vida contra esta importantísima herejía, Lulio resultó ser el Atanasio del siglo XIII. El problema de las misiones a los musulmanes, a principios del siglo XX, no es mayor que en aquel entonces. Es verdad que el islamismo no estaba tan extendido, pero no era menos agresivo y se mostraba, si cabe, aun más arrogante. El mundo musulmán estaba más unido, y desde Bagdad a Marruecos los mahometanos eran conscientes de que las cruzadas habían sido una derrota de la cristiandad. La mitad de España estaba bajo el dominio musulmán. El poder sarraceno aumentaba en todo el norte de África. Hubo muchas conversiones al islam en Georgia y millares de coptos cristianos de Egipto abandonaban la religión de sus padres para abrazar la fe de los conquistadores mamelucos. Fue precisamente por aquel tiempo cuando el islam empezó a extenderse entre los mongoles. Predicadores musulmanes propagaban su fe en India por el Ajmir y el Punjab. El archipiélago malayo empezó a oír hablar de Mahoma en la época del nacimiento de Lulio.[1] Beybars I, el primero y el más grande de los sultanes mamelucos, ocupaba el trono de Egipto. Hombre de grandes hazañas, actividad incesante y rígida ortodoxia, realizó toda clase de esfuerzos para extender y reforzar la religión del Estado. El islam poseía poder político y prestigio. Dominaba en la filosofía y la ciencia. Al principio del siglo XIII, se tradujeron las obras científicas de Aristóteles del árabe al latín; Rogelio Bacon y Alberto Magno eran tan eruditos que el clero les acusaba de tener relaciones con los sarracenos.

Tal era el mundo musulmán que Lulio se atrevió a desafiar y se propuso enfrentar con las nuevas armas del amor y de la fe, en lugar de las armas de los cruzados, el fanatismo y la espada. El mundo cristiano del siglo XIII ni amaba a los musulmanes ni comprendía su religión. Marco Polo, contemporáneo de Lulio, escribió: «No te maravilles de que los sarracenos odien a los cristianos, pues la ley maldita que Mahoma les dio les manda hacer todo el daño que pueden a todos los demás pueblos y especialmente a los cristianos, despojarlos de sus bienes y hacerles toda clase de males. De este modo obran los sarracenos por todo el mundo».[2]

Dante da expresión a la idea común de esta época cuando coloca a Mahoma en lo más profundo de su «Infierno», y describe su suerte con un lenguaje tan horrible que ofende a los oídos sensibles.[3] Pero cosas aún peores decían en prosa del profeta árabe otros de los contemporáneos de Lulio. En casi todos los que intentaron describir el mahometanismo se conjugaban una crasa ignorancia y un gran odio.

Alanus de Insulis (1114-1200) fue uno de los primeros en escribir un libro sobre el islam en latín, y el título demuestra su ignorancia: *Contra Paganos seu Mahometanos*. ¡Coloca a los musulmanes en el mismo cajón que a los judíos y los valdenses! La Europa occidental,

---

1 Arnold, *The Preaching of Islam* (La predicación del islam), tabla sincronológica, p. 389. 1896.
2 *Viajes de Marco Polo*, edición inglesa del coronel Yule, vol. I, p. 69.
3 *La Divina Comedia*, canto XXVIII, 20-39.

según Keller, ignoraba aun el siglo en que Mahoma había nacido; e Hildeberto, arzobispo de Tours, escribió un poema sobre Mahoma en el cual se le representa como apóstata de la Iglesia Cristiana. Petrus Venerabilis, cuyas significativas palabras encabezan este capítulo, fue el primero que tradujo el Corán y estudió el islam con entendimiento y erudición. Hizo un llamamiento para que se tradujeran porciones de las Escrituras al idioma de los sarracenos. También afirmó que el Corán mismo contenía armas con que podía atacarse la fortaleza del islam. Pero, ¡ay! añadió a esto la excusa del erudito siempre ocupado con sus libros: «Yo mismo no tengo tiempo para entrar en la batalla». Fue el primero en distinguir entre lo verdadero y lo falso en la enseñanza de Mahoma y expuso con juicio penetrante los elementos paganos y cristianos que hay en el islam. Petrus Venerabilis tomó la pluma de la controversia y se acercó al musulmán, como dice: «No con armas sino con palabras, no con la fuerza sino con la razón, no con odio sino con amor». Hasta aquí fue el primero animado por el espíritu auténticamente misionero hacia los sarracenos. Pero no salió a ellos. Estaba reservado para el caballero español recoger el desafío y salir solo a su encuentro «no con la fuerza sino con la razón, no con odio sino con amor». Fue Raimundo Lulio el que escribió: «Veo muchos caballeros marchar a Tierra Santa, más allá de los mares, con la idea de conquistarla por la fuerza de las armas; pero al cabo todos ellos perecen antes de alcanzar lo que piensan poseer. Por tanto, me parece que no se había de procurar la conquista de la Tierra Santa, excepto a la manera por la cual tú y tus apóstoles la adquiristeis, es decir, por el amor y las oraciones, por el derramamiento de lágrimas y de sangre».

Lulio estaba preparado para ofrecer este sacrificio sobre el altar. La visión permanecía con él, y su amor a Dios demandaba ejercitarse mostrándolo a los hombres.

No tenía duda alguna de que Dios le había escogido para predicar a los sarracenos y ganarlos para Cristo. Solamente dudaba en cuanto al mejor método a seguir. Toda la historia pasada de su tierra natal, así como el conflicto todavía vigente en España, acentuaban para él la inmensidad de la tarea que tenía delante.

El caballero de Cristo comprendía que no se podría aventurar a entrar en la arena sin tener una buena armadura. El hijo del soldado que peleó contra los árabes sobre muchos campos de batallas sangrientas era consciente de que los sarracenos eran adversarios dignos. El educado senescal sabía que los colegios árabes de Córdoba eran el centro de la cultura europea, y que no era tan fácil convencer a un sarraceno como a un bárbaro de la Europa septentrional.

En cierto momento, según leemos, Lulio pensó trasladarse a París, a fin de prepararse allí para la controversia con los musulmanes, por el estudio científico, intenso y diligente. En París se hallaba en el siglo XIII la universidad más célebre de la cristiandad. Y durante el reinado de San Luis, Roberto de Sorbon, un sacerdote común, fundó en el año 1253 un colegio teológico sin pretensiones, que llegó a ser la célebre facultad de la Sorbona, con una autoridad casi tan grande como la de Roma.

Pero el consejo de su pariente, el dominico Raimundo de Peñafort, le disuadió; decidió quedarse en Mallorca y continuar sus estudios y preparación privadamente. En primer lugar trazó planes para dominar a fondo el idioma árabe. Obtener un maestro no era asunto fácil, pues hacía años que Mallorca había pasado de los sarracenos al poder cristiano, y además ningún musulmán fervoroso se prestaría a enseñar el idioma del Corán a alguien que tenía el propósito declarado de enfrentarse al islam con las armas de la filosofía.

Por tanto, decidió comprar un esclavo sarraceno. Según sus biógrafos, con este maestro prosiguió sus estudios de árabe durante un período de más de nueve años. ¿Sería posible dar una prueba más clara de que Lulio era el mayor, así como el primero, entre los misioneros a los musulmanes?

Después de este largo aprendizaje, al que suponemos el mejor resultado, con el esclavo sarraceno, un incidente trágico interrumpió sus estudios. Lulio había aprendido el idioma del musulmán, pero el esclavo no había aprendido aún el amor de Cristo, ni tampoco su alumno. En medio de sus estudios ocurrió que el sarraceno blasfemó en una ocasión contra Cristo. No se nos cuentan los detalles, pero los que trabajan entre los musulmanes saben qué palabras tan crueles y groseras pueden salir de labios mahometanos contra el Hijo de Dios. Cuando Lulio oyó la blasfemia, lleno de indignación, dio una fuerte bofetada a su esclavo. El musulmán, herido en lo más vivo, sacó un arma, atentó contra la vida de Lulio y le hirió gravemente. Fue prendido y encarcelado. Temiendo tal vez la pena de muerte por asesinato frustrado, el esclavo sarraceno se suicidó. Fue un comienzo triste para Lulio en su obra de preparación. La paciencia no había tenido aún su obra perfecta. Más que nunca sintió Lulio entonces que «El que no ama no vive». La visión de la cabeza coronada de espinas volvió a su mente; no podía olvidar su pacto.

Aunque se retiró durante ocho días a un monte para ocuparse en la oración y en la meditación, no vacilaba, perseveraba en su resolución. Como en el caso de Enrique Martyn con su munshi, Sabat, que le amargaba la vida, la experiencia de Lulio con su esclavo sarraceno fue una escuela de fe y paciencia.

Además de sus estudios en árabe, Lulio pasó estos nueve años en la meditación espiritual, en lo que llama contemplación de Dios.

Despierta la mirada,
de la tierra apartábase
y celestes realidades
eternas contemplaba.
De Dios el pensamiento
le inundaba de ilimitado gozo;
su alma hambrienta
en Él hallaba su festín,
cual otro seráfico Francisco
en su pequeña santa celda de Asís;
y conocía todo el dolor,
el hondo desaliento del santo,
la conciencia de la culpa,
la oscura duda;
mas al fin la plena certeza del perdón,
cuando las puertas del cielo
se abren a la fe extasiada.

Mientras se ocupaba en esto, se le ocurrió la idea de componer una obra que había de contener una demostración estricta y formal de todas las doctrinas cristianas, de tal fuerza probatoria que los musulmanes no pudieran menos que reconocer su lógica, y por consiguiente abrazar la verdad. Tal vez la idea le fue sugerida por Raimundo de Peñafort, pues él era quien había persuadido a Tomás de Aquino, unos años antes, a componer su obra *Sobre la fe católica* o *Sumario contra los gentiles*.[4] En la introducción de Lulio a su *Necessaria Demonstratio Articulorum Fidei*, hace referencia al tiempo en que empezó a apoderarse de él la idea de un libro de apologética para musulmanes, y ruega «al clero y a los hombres sabios entre los legos examinen sus argumentos contra los sarracenos, en demostración de la fe cristiana». Pide

---

4 Maclear, *History of Missions*, p. 358, donde se citan autoridades.

ansiosamente que se le indiquen los posibles puntos flacos en su tentativa de convencer a los musulmanes, antes de enviar el libro a realizar su misión.

Con tal fuerza se apoderó de su mente esta idea, que acabó por considerarla como una revelación divina. Después de trazar el plan de tal obra, la llamó *Ars Maior sive Generalis*. Este sistema universal de lógica y filosofía había de ser el arma de Dios contra todos los errores, y más concretamente contra los del islam.

Lulio había ya pasado de los cuarenta años. Todas sus fuerzas intelectuales habían alcanzado la madurez. Se retiró al lugar de las cercanías de Palma donde la idea había brillado por primera vez en su mente. Se quedó allí cuatro meses, escribiendo el libro y pidiendo la bendición divina sobre sus argumentaciones. Según uno de sus biógrafos,[5] fue en aquel entonces cuando Lulio tuvo entrevistas con cierto misterioso pastor, «quem ipse numquam viderat alias, neque de ipso audiverat quenquam loqui».[6] ¿Es posible que esto se refiera solamente al Gran Pastor y a las experiencias espirituales de Lulio, muy lejos de sus amigos y de su familia, en algún sitio solitario cerca de Palma?

La *Ars Maior* se completó finalmente en el año 1275. Lulio tuvo una entrevista con el rey de Mallorca y bajo el patrocinio de éste se publicó el primer libro de su «método» nuevo. Empezó también a dar conferencias en público sobre él. Este importante tratado, aunque designado en un sentido para la tarea especial de convencer a los musulmanes, había de incluir «un arte universal de adquisición, demostración, confutación», y pretendía «cubrir todo el campo de los conocimientos y reemplazar los métodos inadecuados de escolásticos anteriores». Acerca del método de la filosofía de Lulio hablaremos más adelante, cuando nos ocupemos de su enseñanza y de sus libros. Sin embargo, vienen al caso ahora unas pocas palabras respecto al propósito del método luliano.

En la edad de la escolástica, cuando se debatía seriamente sobre toda clase de cuestiones pueriles en las escuelas, y la filosofía carecía de todo sentido práctico, fue Lulio quien se propuso emplear la gran arma de aquella época, la dialéctica, al servicio del evangelio y para el fin práctico de convertir a los sarracenos. Admitamos que era un

---

5 *Vita Prima* en *Acta Sanctorum*, 663.
6 «A quien él mismo nunca antes había visto, de quien nunca había oído hablar».

escolástico, pero también era un misionero. Su filosofía escolástica se ennoblece con su ardiente celo por la propagación del evangelio y con su amor a Cristo, que purifica toda su escoria en las llamas de la pasión por las almas. Podemos sonreír ante la dialéctica de Lulio y ante sus «círculos y tablas para encontrar las diferentes maneras en que las categorías se aplican a cosas». Pero nadie puede menos que admirar al espíritu que inspiró el método. «En su empeño de dar a la razón su lugar en la religión, en su demanda de presentar al mundo pagano un cristianismo racional, Lulio va mucho más allá de las ideas y las aspiraciones del siglo en que vivió».[7]

No hay que olvidar una cosa al juzgar el carácter de su método y el largo tiempo que Lulio empleó en prepararse para su obra. La fuerza del islam en la edad de la escolástica era su filosofía. Después de familiarizarse con el espíritu de los escritos filosóficos árabes, y de ver sus errores, no quedaba otra cosa para un hombre del intelecto de Lulio sino encontrarse con aquellos filósofos sarracenos en su propio terreno. Avicena, Algazel y Averroes ocupaban el trono de la cultura musulmana y dominaban su pensamiento. El objeto de Lulio era socavar su influencia y llegar así al corazón musulmán con el mensaje de la salvación. Para tal conflicto y tal época sus armas estaban bien escogidas.

---

7 *Enciclopedia Británica*, tomo XV, p. 64.

CAPÍTULO 5

En Montpellier, París y Roma
(A.D. 1275-1298)

«Tengo solamente una pasión, y es él, sólo él».

—Zinzendorf

«En su afirmación de que hay lugar en la religión para el ejercicio de la razón y en su demanda de que se presentara ante el islam un cristianismo racional, este Don Quijote de su época pertenece a nuestros días».

—Frederic Perry Noble

Es difícil seguir la historia de la vida de Lulio en un orden cronológico exacto, porque las fuentes de que disponemos no siempre están de acuerdo en las fechas. Sin embargo, agrupando los acontecimientos de su vida, surge entre la confusión algo de orden. Lulio ocupó su vida en una obra triple: primero, ideó un sistema filosófico o educativo para persuadir de la verdad del cristianismo a los que no eran cristianos; en segundo lugar estableció colegios misioneros; y en tercer lugar fue él mismo a predicar a los musulmanes, sellando su testimonio con el martirio. La historia de su vida se relata y se recuerda mejor si seguimos esta clave presente en sus muchos años de servicio de amor. El mismo Lulio, cuando tenía unos sesenta años, pasa revista a su vida con estas palabras: «Tenía mujer e hijos; disponía de cierta riqueza; llevaba una vida mundana. A todas estas cosas renuncié con gozo a fin de promover el bien común y extender la santa fe. Aprendí el árabe. Varias veces he viajado al extranjero para predicar el evangelio a los sarracenos. Por amor de la fe fui encarcelado y azotado. *He trabajado cuarenta y cinco años para ganar a los pastores de la iglesia y a los príncipes de Europa para el bien común de la cristiandad.* Ahora soy viejo y pobre. Sin embargo, todavía persevero en el mismo propósito. Así será hasta la muerte, si el Señor lo permite».

La oración que hemos colocado en cursiva es el asunto que nos ocupa en este capítulo: la historia de los esfuerzos de Lulio para fundar escuelas misioneras y para persuadir a papas y príncipes de que la verdadera cruzada había de hacerse con la pluma y no con la espada. Era una gran idea, y de sorprendente novedad en sus días. Era una idea que, después de su plan predilecto de filosofía, dominó toda su alma. Ambas ideas entraban de lleno en el terreno de la obra misionera e influían la una sobre la otra.

Tan pronto como Lulio hubo completado su *Ars Maior*, y conferenciado sobre ella en público, empezó a persuadir al rey Jaime II, que había oído de su celo, a fundar y dotar un monasterio en Mallorca. En él recibirían los frailes franciscanos instrucción en el idioma árabe y preparación para ser buenos apologistas entre los musulmanes. El rey aceptó gustosamente la idea y, en el año 1276, se abrió un convento de esta índole, donde trece frailes comenzaron a estudiar con el método de Lulio y a empaparse del mismo. Él no aspiraba a crear meramente una escuela de teología o filosofía; la preparación ideal que proponía para el campo extranjero era más adelantada que la de muchos institutos teológicos de nuestro siglo. ¡Incluía en su curso la geografía de misiones y el idioma de los sarracenos! «El conocimiento de las regiones del mundo», escribió, «es extremadamente necesario para la república de los creyentes y la conversión de los no creyentes, y para resistir a los infieles y al Anticristo. El hombre que no conoce la geografía, no solamente ignora por dónde anda, sino también a dónde va. Ya sea que procure la conversión de los infieles, o trabaje para otros intereses de la iglesia, es indispensable que conozca las religiones y las condiciones geográficas de todas las naciones». Ésta es una meta muy elevada para aquella edad oscura. El explorador de África, seis siglos antes que Livingstone, sentía lo que este último expresó más concisamente, pero no con mayor fuerza: «El fin de las hazañas geográficas es el principio de las empresas misioneras».

Los expertos no están de acuerdo en si este colegio luliano para la preparación de misioneros se abrió bajo el patrocinio del rey, en Palma, o en Montpellier. Dado que, en el año 1297, Lulio recibió en Montpellier cartas del general de los franciscanos recomendándole a los superiores de todas las casas de su orden, parece que había trabado relaciones con la congregación de allí muy pronto.

Montpellier, ahora una ciudad de gran importancia en el sur de Francia, próxima al Golfo de Lyon, goza de prosperidad ya a principios del siglo XII. En el año 1204 vino a depender de la Corona de Aragón por casamiento, y así quedó hasta el año 1350. Durante el siglo XIII acogió varios concilios de la Iglesia. En 1292, el papa Nicolás IV, probablemente por la influencia de Lulio, fundó una universidad en Montpellier. Su colegio médico tuvo fama durante la Edad Media y contaba entre sus profesores con judíos eruditos, que se habían educado en las escuelas árabes de España.

En Montpellier pasó Lulio tres o cuatro años estudiando y enseñando. Fue muy probablemente aquí donde escribió sus obras sobre medicina y algunos de los libros en que solicitaba ayuda para abrir otras escuelas misioneras. En un párrafo aboga por la consagración a esta causa, con palabras tan ardientes como éstas: «Apenas hallo uno, oh Señor, que por amor tuyo esté dispuesto a sufrir el martirio como tú has sufrido por nosotros. Me parece razonable, si se pudiera conseguir un estatuto con este objeto, que los frailes aprendiesen varios idiomas, para prepararles a salir y entregar sus vidas por amor a ti... Oh, Señor de gloria, si llegara alguna vez ese día bendito, en que viera tus santos frailes impulsados de tal modo por el celo de tu gloria que salieran a tierras extranjeras con el propósito de testificar de tu santo ministerio, de tu bendita encarnación y de tus amargos sufrimientos, ese sería un día glorioso, un día en el cual volvería aquel ardor de devoción con el que los santos apóstoles hallaron la muerte por amor de su Señor Jesucristo».[1]

Lulio anhelaba con toda su alma un nuevo Pentecostés y misiones por todo el mundo. Montpellier era pequeño para ser su parroquia, aunque sólo era un laico. Su ambición era, según sus propias palabras, «ganarse a los pastores de la Iglesia y los príncipes de Europa», para que fueran entusiastas misioneros como él mismo. ¿Dónde había de apoyar su palanca para producir un levantamiento en este sentido sino en el mismo centro de la cristiandad? Los papas habían inaugurado y promovido las sangrientas cruzadas; tenían las llaves del poder espiritual

---

1 *Liber Contemplationis in Deo*, CX. 28, tomo IX, 246.

y temporal. En la Edad Media, sus órdenes se tenían como voz del cielo; su favor era el rocío de la bendición.

Además, el buen éxito de Lulio con el rey de Aragón le inspiraba la esperanza de que el pastor principal de la cristiandad demostraría igual interés en sus planes.

Por tanto, en 1286 emprendió un viaje a Roma. Esperaba conseguir de Honorio IV la aprobación de su tratado y la ayuda para financiar escuelas misioneras en varias partes de Europa. Honorio se distinguió durante su breve pontificado por su celo y amor a la erudición. Limpió los estados papales de cuadrillas de bandidos y procuró, para promover el estudio, fundar una escuela de lenguas orientales en París. Es posible que, si este papa hubiese vivido, Lulio hubiera conseguido su propósito. Honorio murió el 3 de Abril de 1287.

Raimundo Lulio llegó a Roma, pero halló el trono papal vacante y a todos preocupados con una sola cosa: la elección de un sucesor. Esperaba tiempos más tranquilos, pero siempre tropezaba con nuevos impedimentos. Sus planes tropezaron a veces con la burla y recibieron poco aliento. Los cardenales se interesaban más en sus ambiciones personales que en la conversión del mundo.

Nicolás IV recibió el pontificado, y su carácter era tal que no nos extraña ver a Lulio desistir de la idea de persuadirle a hacerse misionero. Era un hombre sin fe, y se comportaba de una forma incompatible con toda honorabilidad, como demuestra su abominable desdén hacia los tratados y juramentos en la controversia con el rey Alfonso de Aragón.[2] Él quería combatir a los sarracenos solamente con la espada, y procuró activamente, pero en vano, organizar otra cruzada. Diez años tuvieron que transcurrir hasta que Lulio se atreviera de nuevo a apelar a un papa.

Desengañado en Roma, Lulio marchó a París, y allí dictó conferencias en la universidad sobre su *Ars Generalis*. También escribió otros libros sobre varias disciplinas, pero sobre todo se dedicó a preparar sus obras de controversia y a propagar sus ideas de la conquista del mundo. En uno de sus libros ruega fervientemente que «frailes de vida santa y de gran sabiduría formen instituciones a fin de aprender varios idiomas y de capacitarse para predicar a los paganos». No había llegado la hora.

Al fin, cansado de buscar ayuda para sus proyectos, en los cuales nadie se interesaba, determinó probar la fuerza del ejemplo. Aunque

---

2 Milman. *History of Latin Christianity*, vi., 175.

contaba ya cincuenta y seis años, se decidió a salir solo y predicar a Cristo en el norte de África. De este primer viaje misionero daremos cuenta en el capítulo siguiente.

A su vuelta de Túnez en el año 1292, Lulio llegó a Nápoles. Allí recibió una nueva influencia en su carácter. Conoció al alquimista y noble piadoso, Arnoldo de Villanova.

Que Lulio alcanzara la habilidad de trasmutar metales y escribiera algunas de las muchas obras sobre alquimia que se le atribuyen, es cosa que tal vez nunca se podrá asegurar. Me inclino a pensar que esta parte de su historia es una leyenda medieval. Sin embargo, un hombre de las inclinaciones de Lulio debió de absorber no poco de aquel espíritu que atrajo sobre Arnoldo de Villanova la censura de la Iglesia por sostener que «la medicina y la caridad eran más agradables a Dios que los servicios religiosos». Arnoldo enseñaba que los frailes habían corrompido la doctrina de Cristo, que es inútil decir misas, y que el papado es una creación humana. Sus escritos fueron condenados por la Inquisición, como lo fueron las obras de Lulio. Tal vez estos hermanos en herejía fueron realmente protestantes en sus corazones y su amistad fue semejante a la de los amigos de Dios.

Durante unos pocos años después, la escena de los trabajos de Lulio cambió continuamente. Primero volvió a París, reanudó allí su enseñanza y escribió su *Fabula Generalis* y *Ars Expositiva*. En 1298 consiguió establecer en París, bajo la protección del rey Felipe el Hermoso, un colegio en el que se enseñaba su método. Pero en toda Francia reinaba entonces una gran agitación por causa de la guerra contra los templarios y el conflicto con el papa Bonifacio VIII. Había poco lugar para el estudio de la filosofía y ninguna inclinación para pensar en predicar entre los sarracenos.

Los pensamientos de Lulio volvieron a mirar a Roma. Pero, ¡ay! Roma era en el siglo XIII el ultimo sitio de toda Europa en que pudiera encontrarse el espíritu de la abnegación o de las misiones cristianas. Allá por el año 1274, la falta de milagros en la Iglesia sirvió de argumento a un defensor de las cruzadas para obligarla a recurrir a las armas. El papa Clemente IV (1265-68) aconsejó combatir al islam por la fuerza militar. Como regla general, el modelo de misiones a que se aferraron los papas fue la idea de las cruzadas.

Lulio visitó Roma por segunda vez entre los años 1294 y 1296. Había oído noticias del ascenso de Celestino V al trono papal y con cierta razón esperaba que este papa favoreciera su causa. Celestino era un hombre austero, fundador de una orden de frailes y celoso por la fe.

Resultó elegido el 15 de julio de 1294, pero, forzado por las maquinaciones de su sucesor, dimitió el 13 de diciembre del mismo año. Fue encarcelado cruelmente por el nuevo papa, Bonifacio VIII, y murió dos años después. Bonifacio era atrevido, avaro y dominante. Sus ambiciones se concentraban en él mismo. Llevó sus planes para la exaltación de sí mismo hasta el límite del frenesí y después se volvió loco. Lulio no encontró por este lado ni simpatía ni ayuda.

Desde el año 1299 hasta 1306, en que hizo su segundo gran viaje al norte de África, Lulio predicó y enseñó en varios lugares, como veremos más adelante.

En el año 1310, el veterano héroe, ya con setenta y cinco años, intentó una vez más mover el corazón de la cristiandad y persuadir al papa para que hiciera a la Iglesia fiel a su gran misión.

Sabía que por sí solo no podía poner por obra los grandes planes de la conquista espiritual que consumían su corazón. Por ello, lleno de su antiguo ardor, concibió la idea de fundar una orden de caballeros espirituales, dispuestos a predicar a los sarracenos y a recuperar de este modo el sepulcro de Cristo por una cruzada de amor.[3] Nobles piadosos y señoras ilustres de Génova ofrecieron contribuir para este proyecto con la suma de treinta mil florines. Muy alentado por esta muestra de interés, Lulio salió para Aviñón a fin de proponer su plan al papa Clemente V. Era el primer papa que fijó su residencia en Aviñón, dando comienzo de este modo a la llamada «cautividad babilónica» del papado. Escritores contemporáneos le acusan de disolución, nepotismo, simonía y avaricia. No es extraño que, siendo un hombre así el que poseía las llaves de la autoridad, Lulio llamara en vano a la puerta del «vicario de Cristo».

Una vez más, Lulio volvió a París. Fuerte en la mente pero con cuerpo débil, se dedicó a la filosofía árabe de Averroes y escribió en defensa de la fe y las doctrinas de la revelación.[4] En París oyó que se iba a convocar un concilio general en Vienne, en el sur de Francia, para el 16 de octubre de 1311. Un concilio general tal vez favorecería lo que los papas apenas se dignaban tomar en consideración. Por tanto,

---

3 No como se declaró falsamente en algunos artículos sobre Lulio, que proponía usar la fuerza de las armas. Cf. Noble, p. 116 y Maclear p. 366, con nota al pie en este último, en el que se citan palabras de *Liber Contemplationis in Deo*, CXII, II.

4 Véase la bibliografía y consúltese *Averrhoes et l'averrhoisme*, de Renan, para detalles de su método y éxito. Los averroístas, a partir del siglo XIII, oponían la razón a la fe. La gran tarea de Lulio fue demostrar que no eran irreconciliables, sino relacionadas mutuamente y en armonía. Fue verdaderamente la batalla de la fe contra el agnosticismo.

desanduvo el largo camino que acababa de andar. Casi trescientos prelados asistieron al concilio. El combate contra herejías, la abrogación de la orden de los templarios, los propósitos para nuevas cruzadas y las discusiones sobre la legitimidad de Bonifacio VIII, ocuparon la mayor atención. Sin embargo, el concilio atendió al menos una de las proposiciones de Lulio, y aprobó la resolución de que se dotara de profesores de los idiomas orientales en las universidades de París, Salamanca y Oxford, y en todas las ciudades donde residía la corte papal.

Por tanto, al fin había vivido para ver el fruto de una parte de las peticiones de toda su vida.

¿Quién es capaz de seguir los incontables resultados para la misión de estas primeras cátedras de idiomas orientales en universidades europeas, hasta llegar al consagrado Martyn y Ion Keith Falconer, profesor de árabe en Cambridge? Lulio luchó solo desde la juventud hasta la vejez por esta gran idea de la preparación misionera en las escuelas, hasta que se halló en el umbral del éxito. Se adelantó a Loyola, Zinzendorf y Duff en la labor de ligar escuelas con misiones. El ardor de su pasión por este asunto igualó, si no sobrepujó, el celo de aquellos.

Capítulo 6

El primer viaje misionero a Túnez
(A.D. 1291-1292)

«Aquella tierra donde el sol deslumbra
del mar azul en la africana costa,
en otro tiempo asiento de la gran Cartago,
a cuyos pies las naves de Fenicia
descargaban del mundo los tesoros,
vio brillar por un tiempo,
no sin mezcla de errores vanos,
la celeste lumbre del evangelio,
y a la ardiente hoguera
nobles mártires dio de valor llenos.
Hoy del error las ominosas sombras
lo invaden todo y de la luz que un día
se alzó y brilló ni un sólo rayo queda».

—Anónimo

Después de enfrentar un revés en su primera visita a Roma, Raimundo Lulio volvió a París por corto tiempo, como hemos visto, y luego determinó partir como un auténtico misionero para propagar la fe entre los musulmanes africanos. Lulio tenía a la sazón cincuenta y seis años, y los viajes de aquellos días por tierra y mar estaban llenos de penalidades. El mismo año en que partió, llegaron a Europa las noticias de la caída de Acre y del fin del estado cristiano de Palestina. Todo el norte de África estaba en manos de los sarracenos, los cuales se hallaban a un tiempo ensoberbecidos por la toma de Acre y fanatizados en extremo al conocer la persecución que sufrían sus correligionarios en España. Era un paso atrevido el que Lulio tomaba. Pero no estimaba su vida preciosa para sí mismo al hacer tal proyecto, y estaba dispuesto a arriesgarlo todo en el empeño. Esperaba vencer por el amor y la persuasión. Al menos, según sus propias palabras, «experimentaría si él mismo no podría persuadir a algunos de ellos conferenciando con sus sabios y manifestándoles, según el método que él consideraba dado por Dios, la encarnación del Hijo de Dios y la trinidad de personas en la unidad de esencia en la divinidad.[1] Lulio proponía una especie de parlamento de religiones y deseaba afrontar el desnudo monoteísmo unitario del islam con la revelación del Padre, del Hijo y del Espíritu Santo.

Partió de París para Génova, que en aquel entonces rivalizaba con Venecia por la supremacía en el Mediterráneo. En el siglo XIII Génova llegó al punto más alto de su prosperidad. Los soberbios palacios de aquella época todavía testifican del genio de sus artistas y de la riqueza de sus príncipes comerciantes.

En Génova no se desconocía la historia de la vida de Lulio. Los genoveses habían oído maravillados acerca de la conversión milagrosa del senescal alegre y disoluto; y ahora corría el rumor de que había inventado un método nuevo y cierto para convertir al «infiel» y que partiría él solo para las costas de África.

La expectación del pueblo llegó a un grado muy alto. Había un buque listo para zarpar para África y Lulio pagó pasaje en él. El navío estaba en el puerto y ya estaban a bordo los libros del misionero. Todo estaba preparado para el viaje y la aventura.

Pero en este momento se produjo un cambio en él. Lulio dice que fue «sobrecogido por el terror ante la idea de lo que le podría ocurrir en el país adonde iba. La idea de sufrir tormentos o encarcelamientos de por vida se le presentó con tal fuerza que no pudo dominar sus temores».[2] No debe sorprendernos una reacción tan fuerte tras el paso de fe al partir de París. Experiencias semejantes no escasean en las vidas de los misioneros. Henry Martyn escribió en su diario cuando las costas de Cornualles iban desapareciendo de su vista:

«¿Volvería atrás? ¡Oh, no! Pero ¿cómo puedo sostenerme? Me falta fe. La experiencia me dice que soy tan débil como el agua. ¡Oh, mis

---

1 *Vita Prima*, en *Acta Sanctorum*, p. 633.
2 Ibídem, p. 664.

queridos amigos de Inglaterra, cuando hablábamos con exaltación de las misiones a los paganos, qué idea tan imperfecta nos formábamos de los sufrimientos necesarios para llevarlas a cabo!»

Lulio se vio frente a un porvenir más oscuro y más incierto que Martyn. Le faltó la fe. Devolvieron sus libros a tierra y el navío abrió las velas sin él.

Sin embargo, tan pronto como recibió la noticia de la partida del navío, se apoderó de él un amargo remordimiento. Su apasionado amor hacia Cristo no podía tolerar la idea de haber sido traidor a la causa para la cual Dios le había preparado y llamado. Sentía que había dado, a aquellos que se burlan de la religión de Cristo, ocasión para mofarse de él y de su gran misión. Tan aguda era su pena que le produjo una fiebre violenta. Todavía bajo los efectos de la debilidad física y la postración mental, oyó que había otro buque en la bahía preparado y cargado para salir al puerto de Túnez. Pese a estar tan débil rogó a sus amigos que llevaran sus libros a bordo y le permitieran emprender el viaje. Lo llevaron al buque, pero sus amigos, convencidos de que no podría resistir el viaje, insistieron en traerlo de vuelta a tierra. Lulio volvió a su cama, más no halló ni reposo ni recuperación. Su antigua pasión le consumía, sentía la contrición de Jonás, y gritó como Pablo: «¡Ay de mí, si no predico!». Cuando se presentó la oportunidad con otro navío, determinó embarcar a toda costa.

La autobiografía de Lulio es como una historia de aventuras, cuando cuenta cómo «desde este momento fue un hombre nuevo». Apenas se había perdido de vista la tierra, cuando la fiebre le dejó por completo; la conciencia ya no le reprochaba su cobardía, regresó la paz de su mente, y parecía que había recobrado perfecta salud. Lulio llegó a Túnez a fines del año 1291 o a principios de 1292.[3]

¿Por qué escogió el misionero filósofo Túnez como su primer punto de ataque contra la fortaleza del islam? La respuesta no ha de buscarse lejos.

Túnez, la capital actual del país del mismo nombre, fue fundada por los cartagineses, pero alcanzó importancia primeramente bajo los árabes que conquistaron el norte de África, quienes le dieron su nombre actual. Dicho nombre proviene de una raíz árabe que significa «deleitarse».[4] Túnez era el puerto habitual de los que viajaban desde

---

3 *Vita prima* en *Acta Sanctorum*, p. 664. *Memorials*, de Neander, p. 527 y Maclear p. 361.
4 *Al Muktataf*, edición de febrero 1901, p. 79.

Cairuán (la Meca norteafricana de entonces) a España. En 1236, cuando los hafsitas derrocaron a la dinastía de los almohades, Abu Zakariyah la hizo su capital. Cuando la caída de Bagdad dejó al islam sin una cabeza titular (1258), los hafsitas se arrogaron el título de «Príncipe de los creyentes» y extendieron su dominio desde Tlemecén a Trípoli. La dignidad de los señores de Túnez se reconocía aun en El Cairo y La Meca. Su gobierno era tan fuerte que, sin auxilio exterior, se mantuvieron contra reiteradas invasiones de los francos. La séptima cruzada terminó con un desastre ante Túnez. De hecho, Túnez era el centro occidental del mundo musulmán en el siglo XIII. Donde San Luis fracasó con su gran ejército, Raimundo Lulio se arriesgó solo a una cruzada espiritual.

Túnez se halla sobre una lengua de tierra entre dos lagos de agua salada y se une al puerto de Goletta por un antiguo canal. Todavía quedan dos edificios de los días de Lulio: la mezquita de Abu Zakariyah en la fortaleza y la gran mezquita del Olivo en el centro de la ciudad. Las ruinas de Cartago, centro famoso del cristianismo latino antiguo, se hallan a unas pocas millas al norte de Goletta. Aún hoy Túnez alberga una población de más de 125.000 almas. Era mucho mayor en la época de la cual estamos escribiendo.

Lulio debe de haber desembarcado en Goletta y de allí continuado hasta Túnez. Su primer paso fue invitar a los ulemas, los maestros musulmanes, para una conferencia, precisamente como hicieron Ziegenbalg en el sur de la India y Juan Wilson en Bombay. Anunció que había estudiado los argumentos de ambos lados del asunto y que estaba dispuesto a someter a una comparación justa y razonable las pruebas a favor del cristianismo y las pruebas en favor del islam. Llegó incluso a prometer que, si se le convenciera, abrazaría el islam. Los directores musulmanes respondieron de buena voluntad al desafío, y acudiendo a la conferencia en gran número, expusieron con gran aparato de erudición el milagro del Corán y la doctrina de la unidad de Dios. Después de una larga pero infructuosa discusión, Lulio lanzó unas proposiciones[5] bien escogidas para herir los dos puntos débiles de la doctrina de Dios en el islam: la falta de amor en el ser de Alá y la falta de armonía en sus atributos. «Todo hombre sabio tendrá que reconocer como religión verdadera aquella que atribuya la mayor perfección al Ser Supremo y que no sólo exprese el concepto más digno de

---

5 Véase al completo en *Vita Prima*, p. 665 y *Liber Contemplationis in Deo*, cap. LIV, 25-28 etc. Maclear da el sumario arriba citado, pp. 362, 363.

todos sus atributos, su bondad, poder, sabiduría y gloria, sino que demuestre la armonía e igualdad existentes entre ellos. Ahora bien, la religión de ellos era defectuosa al reconocer solamente dos principios activos en la divinidad: su voluntad y su sabiduría, mientras dejaba ineficaces su bondad y su grandeza, como si fuesen cualidades latentes y no puestas en ejercicio activo. Pero a la fe cristiana no se la podía acusar de este defecto. En su doctrina de la Trinidad expresa el concepto más sublime de la divinidad como el Padre, el Hijo y el Espíritu Santo, en una sola esencia y naturaleza. En la encarnación del Hijo se demuestra la armonía que existe entre la bondad de Dios y su grandeza; y en la persona de Cristo se ostenta la verdadera unión entre el creador y la criatura; mientras que en su pasión, que él soportó por su gran amor al hombre, se manifiesta la armonía divina de la bondad infinita y la condescendencia infinita de aquel que, por amor a nosotros los hombres, y con el fin de salvarnos y restituirnos a nuestro estado original de perfección, soportó aquellos sufrimientos y vivió y murió por el hombre».

Este estilo de argumentación, cualquiera que sea el juicio que de él se forme, es ortodoxo y evangélico hasta la médula. Siempre llama la atención ver lo poco medieval y romanista que es la teología de los escritos de Lulio. La locura de la cruz se encuentra por todas partes en sus argumentos con los musulmanes. Nunca construyó un puente inseguro con tablas de concesiones. Su Parlamento de Religiones no se levantó sobre una base semejante a la del Parlamento de Chicago. El resultado lo demostró en la subsiguiente persecución. Hubo algunos que aceptaron la verdad[6] y otros se hicieron más fanáticos en su islamismo. Un imán indicó al sultán el probable peligro para la ley de Mahoma si se permitía que un maestro tan celoso expusiese libremente los errores del islam, y aconsejó que se encarcelara y matara a Lulio. Se le echó en un calabozo y si se salvó de peor suerte fue gracias a la intercesión de un contrincante de espíritu más abierto. Este hombre alabó la capacidad intelectual de Lulio y llamó la atención del soberano al hecho de que un musulmán que imitara la consagración del prisionero, predicando al islam, sería tenido en alta estima. El espectáculo de un erudito y anciano filósofo cristiano disputando libremente sobre la verdad del Corán en el centro de Túnez era un ejemplo extraordinario

---

6 «Disposuerat viros famosae reputationis et alios quamplurimos ad baptismum quos toto animo affectabat deducere ad perfectum lumen fidei orthodoxae» (Persuadió a algunos varones de alta reputación y a otros muchos para recibir el bautismo, a los cuales procuraba con toda su alma conducir a la perfecta luz de la fe correcta). De *Vita S. Lulli.*

de valor moral en la Edad Media. «No era éste», dice el Dr. Smith «un cruzado irreflexivo, alentado por la gloria marcial o por los placeres del mundo. No era su tarea como la que requirió todo el valor de los varones que ganaron por primera vez para la fe cristiana al godo, al franco, al sajón y al eslavo. Raimundo Lulio predicó a Cristo a un pueblo que consideraba la apostasía como un crimen digno de muerte y que había demostrado sus proezas a la cristiandad durante varios siglos». Sus enemigos se asombraban ante tal arrojo de devoción.

La sentencia de muerte fue conmutada por la de destierro. Bien podía Lulio regocijarse de poder escapar, pues la sentencia de muerte sobre los cristianos se ejecutaba a menudo con bárbara crueldad.[7] Sin embargo, Lulio no estaba dispuesto ni siquiera a someterse a la sentencia de destierro y dejar así solo su pequeño grupo de convertidos sin instrucción o sin guía.

El buque que le había traído a Túnez estaba a punto de volver a Génova; lo llevaron a bordo y le advirtieron de que si volvía al país sería seguramente lapidado. Sin embargo, Raimundo Lulio pensaba, como los apóstoles, que no podía obedecer aquellas amenazas para «que no hablase de allí en adelante a hombre alguno en este nombre». Tal vez sentía que la cobardía demostrada en Génova cuando se preparaba para salir demandaba expiación. Sea como sea, consiguió escapar del buque y regresó sin ser descubierto a la ciudad marítima de Goletta, desafiando el edicto de destierro. Tres largos meses pasó el celoso misionero escondido como una rata de puerto y testificó sigilosamente acerca de su Maestro. ¡Tal era el carácter de su genio versátil que aun en este tiempo compuso una nueva obra científica! Pero como su método misionero favorito de discusión pública era enteramente imposible, embarcó al fin para Nápoles, donde enseñó y conferenció durante algunos años acerca de su nuevo método. Más tarde, como ya hemos visto, volvió a visitar Roma.

Es evidente en todos los escritos de Lulio, como también en los escritos de sus biógrafos, que su predicación a los musulmanes no era tanto polémica como apologética. Siempre habla de la filosofía y erudición arábigas con respeto. Los mismos títulos de sus escritos de controversia prueban el tacto y el amor de su método. Solamente era débil en esto: colocaba la filosofía por delante de la revelación y en consecuencia procuraba a veces explicar cosas que siempre han de permanecer como misterio de la fe.

---

7 Véase algunos ejemplos en Muir, *Mameluke Dynasty*, p. 41, 48, 75, etc.

Debemos tener presente que Lulio, como teólogo, no era escolástico. Tampoco había recibido instrucción de los grandes maestros de su tiempo. Era autodidacta. Lo especulativo y lo práctico se mezclaban en su carácter y en su sistema. «Su inclinación especulativa penetró hasta su entusiasmo por la causa de las misiones y en su celo como apologista. Sus combates con la escuela de Averroes, y con la secta de aquella escuela que afirmaba la oposición irreconciliable entre la fe y el conocimiento, le conducían naturalmente a una investigación especial sobre la relación que existe entre ambos».[8]

Lulio no fue a Nápoles porque hubiera desistido de la batalla. Fue a pulir sus armas, a ganar reclutas y a apelar a los papas para preparar una cruzada espiritual contra el enemigo más fuerte del reino de Cristo. Cuando estos esfuerzos resultaron casi estériles, como hemos visto en un capítulo anterior, emprendió otros viajes misioneros. Así, en el año 1307, quince años después de su primer destierro, lo hallamos otra vez en las costas del norte de África.

---

8 Neander, *Church History* (Historia de la Iglesia), IV, p. 426.

CAPÍTULO 7

※

Otros viajes misioneros
(A.D. 1301-1309)

«En una edad de violencia y de infidelidad él fue el apóstol del amor celestial».
—George Smith.

«Y de esta manera me esforcé a predicar el evangelio, no donde antes Cristo ya hubiese sido nombrado, para no edificar sobre fundamento ajeno».
—Pablo (Romanos 15:20)

Desde el año 1301 al año 1309 Lulio realizó varios viajes misioneros. Su relevancia es mayor si consideramos que tenía a la sazón más de sesenta años y si tenemos en cuenta las condiciones en que se hacían los viajes en la Edad Media. El Mediterráneo estaba infestado de piratas y la gran expedición de los almogávares catalanes y aragoneses, comandada por Roger de Flor, peleaba contra los bizantinos, mientras que Génova y Venecia se batían en una guerra de rivalidad comercial. Los Caballeros de San Juan peleaban por Rodas y los papas rivales disputaban entre sí. El viaje por mar era peligroso y por tierra estaba lleno de penalidades. En la Edad Media, el uso de los carruajes estaba prohibido por temor de que hiciese a los vasallos menos aptos para el servicio militar. Hasta el siglo XVI se consideraba digno de reproche que un hombre se sirviese de tales vehículos, y solamente los usaban las señoras de la aristocracia. Los varones de todos los grados y profesiones montaban en caballos y mulos, y a veces los frailes y las mujeres en asnas. Cuadrillas de salteadores infestaban los bosques, y el peligro de las fieras no había desaparecido aún en el sur de Europa.

Sin embargo, leemos que Lulio, a pesar de todos estos impedimentos, «resolvió viajar de lugar en lugar y predicar donde quiera se le ofreciera ocasión». Su propósito parece haber sido llegar a los judíos y herejes cristianos, además de a los sarracenos.[1] Después de trabajar por algún tiempo entre los judíos de Mallorca navegó a Chipre, tomando tierra en Tamagusta, el puerto principal y fortaleza durante la ocupación de la isla por los genoveses. Chipre tenía en aquel entonces una población numerosa, tanto de judíos como de cristianos y de musulmanes. Probablemente, la predicación de Lulio no tuvo buen éxito, pues pronto dejó la isla, y con sólo un compañero cruzó Siria y penetró hasta Armenia, esforzándose para llamar de nuevo a las varias sectas orientales a la fe ortodoxa.

Armenia era en el siglo XIII un pequeño principado al norte de Cilicia, bajo una dinastía autóctona. Formaba con Chipre el último baluarte de la cristiandad frente al islam en el Oriente. Ante el temor a que las potencias musulmanas los aplastasen, los armenios entablaron alianzas con las hordas mongolas, que se esparcieron sobre Asia y sufrieron, con otros, la hostilidad y venganza de los mamelucos. Lulio trabajó más de un año entre este valeroso residuo y baluarte de la fe, que aún hoy día ha resistido hasta la sangre contra el espíritu expansivo del islam. Fue en Armenia donde escribió un libro titulado *Las cosas que el hombre debe creer concerniente a Dios*. Escrito en latín, se tradujo después al catalán para sus compatriotas.[2]

Desde Chipre, Lulio volvió otra vez a Italia y Francia, por donde viajó desde el año 1302 al año 1305, conferenciando en las universidades y escribiendo más libros. Antes de hablar sobre su segundo viaje al norte de África, debemos dedicar algunas palabras al carácter de su amor y esfuerzos en beneficio de los menospreciados judíos.

Esparcidos por todos los reinos e islas de Europa, los hebreos habían alcanzado poder e influencia en muchos países por causa de su erudición y de su riqueza. En España, bajo la supremacía sarracena gozaban

---

1 «Accessit ad regem Cypri affectu multo supplicans ei, quatenus quosdam infideles atque schismaticos videlicet Jacobinos, Nestorinos, Maronitas, ad suam preadicationem necnon disputationem coarctaret venire». (Acercóse al rey de Chipre suplicándole con mucha insistencia no prohibiese a los infieles ni cismáticos, es a saber, jacobinos, nestorianos y maronitas, acudir a su predicación y discusiones). En Maclear, p. 364, nota.

2 Véase Helfferich, p. 86, nota, y núm. 225 en la Bibliografía A.

de amplia tolerancia, pero a medida que los musulmanes eran rechazados y los cristianos aumentaban en poderío, los judíos iban sufriendo más. Ya en 1108 se levantó un motín contra los judíos en Toledo y su sangre corrió por las calles. Durante todo el siglo XII y XIII se relataban historias tenebrosas acerca de la hostilidad de los israelitas. Se decía que envenenaban pozos, que robaban las hostias consagradas para pincharlas con agujas, y que crucificaban niños en sus fiestas de Pascua, para usar sus entrañas en la magia y en ritos secretos. En el año 1253 fueron desterrados de Francia y en el año 1290 de Inglaterra. Muchos fueron ejecutados por la Inquisición, y había muy pocos cristianos que se atrevieran a defender a un judío ante los tribunales. No se podía perder un niño sin que se sospechara de alguna treta criminal fraguada por un judío. En vano protestaron unos pocos frailes piadosos contra tales acusaciones y procuraron amparar a la raza desechada. El espíritu entero de la época tenía a judíos y musulmanes por infieles y merecedores de odio y desprecio. En España el odio contra los israelitas era, si cupiera, más fuerte que en otra parte. Durante los últimos años de la vida de Lulio se encendieron ya en España los fuegos de la persecución amarga y cruel que acabó por consumir, bajo Torquemada, la raza entera de los judíos en este país.[3]

En el siglo XIII, en casi todos los países se obligaba a los hebreos a llevar una marca degradante, el llamado «sombrero judío», una especie de gorro amarillo en forma de cilindro, y un anillo de paño rojo sobre el pecho. También se les forzaba a vivir miserablemente en barrios exclusivos de las ciudades, llamados juderías, que muchas veces estaban cercados por un muro especial.[4]

Sin embargo, esta despreciada raza no estaba fuera del círculo del amor e interés de Lulio.

Escribió muchos libros para probarles la verdad de la religión cristiana.[5] Les demostró que su Mesías esperado no era otro que Jesús de Nazaret. Su gran misión a los sarracenos en África no le cegó respecto a la necesidad de hacer misiones en su tierra y leemos cómo, en el año 1305 y aun antes, trabajaba para convencer a los judíos mallorquines de sus errores. En una época en que la violencia y la deslealtad eran

---

3 Maclear, p. 381 y siguientes.

4 Kurtz, *Church's History* (Historia de la Iglesia), tomo II, p. 23.

5 De estas obras aún existen las siguientes: *Liber contra Judaeos, Liber de Reformatione Hebraica* y *Liber de Adventu Messiae.*

el único trato que los judíos esperaban de los cristianos, Raimundo Lulio fue el apóstol del amor a ellos también.

Hay una historia o leyenda que dice que Lulio realizó por aquel entonces una breve visita a Inglaterra y que escribió una obra sobre alquimia en el hospital de Santa Catalina, en Londres.[6] Pero no tenemos base segura para tal afirmación, y la leyenda surgió probablemente de haberse confundido a Lulio, el misionero, con otro Lulio famoso por sus conocimientos de alquimia. En el *Acta Sanctorum* se dedica un artículo especial a probar que Lulio nunca enseñó ni practicó las artes de la alquimia medieval.

Llegamos ahora a su viaje al África del Norte, que emprendió en el año 1307, partiendo probablemente de algún puerto francés o de Génova. Esta vez no se dirigió a Túnez, sino a Bugía. Algunos dicen que además visitó Hipona y Argel. En la biografía de Lulio, Bugía tiene un interés especial, pues allí predicó a los musulmanes en su vejez y aquella ciudad fue el escenario de su muerte.

Bugía, o Bougiah, es un puerto marítimo de Argelia, fortificado, entre el cabo Carbon y el Wadi Sahfi. Sus edificios más importantes son ahora el templo católico francés, el hospital, los cuarteles y el antiguo fuerte de Abdul Kadir, hoy usado como cárcel. Tiene actualmente una población muy reducida, pero mantiene un comercio considerable en cera, grano, naranjas, aceite y vino.

Bugía es una ciudad de gran antigüedad: es la Saldae de los Romanos, edificada en sus orígenes por los cartagineses. Genserico el Vándalo, la rodeó de murallas. En el siglo X llegó a ser la principal ciudad comercial de todo el África del Norte bajo los sultanes Beni Hammad. Los mercaderes italianos del siglo XII y XIII tenían numerosos edificios de su propiedad en el pueblo, tales como almacenes, balnearios e iglesias. En el siglo XV Bugía se convirtió en albergue de piratas, después perdió su prosperidad e importancia. Aunque había comerciantes cristianos en Bugía, eran una pequeña minoría, y sólo podían asegurar la libertad y protección comercial evitando toda controversia religiosa y guardando con cuidado su luz bajo un almud. En la historia de la dinastía mameluca que gobernaba Egipto en aquella época se puede leer cómo los sarracenos consideraban y trataban a los cristianos. Hasta donde era posible, el despreciable edicto de Omar II se impuso de nuevo y sus intolerantes mandatos entraron en vigor.

---

6 Véase Maclear, p. 367, nota, que cita autoridades para la leyenda.

El sultán mameluco Nasir —un tirano celoso, cruel, suspicaz y avaro— extendió su dominio sobre Túnez y Bugía desde el año 1308 hasta el 1320. Era tan fanático como cruel, y no hay más que leer cómo se destruyeron iglesias, se quemó o mutiló a cristianos y se confiscaron sus propiedades en la capital, para saber cuál debe de haber sido el estado de las provincias.[7]

Tan pronto como Raimundo Lulio llegó a Bugía, halló su camino a una plaza pública, se plantó valerosamente allí y proclamó en árabe que el cristianismo era la única fe verdadera, manifestando que estaba dispuesto a demostrarlo a satisfacción de todos. No sabemos exactamente cuál fue la naturaleza de su argumento en esta ocasión, pero tenía que ver con Mahoma. Se produjo un tumulto y se levantaron muchas manos para hacerle daño.

El *muftí*, o jefe del clero musulmán, le rescató y le reprendió por su locura al exponerse de tal modo a grandes peligros.

«La muerte», repuso Lulio, «no tiene terror ninguno para un servidor sincero de Cristo, que trabaja para traer almas al conocimiento de la verdad».

Luego el *muftí*, que debe de haber sido bien versado en la filosofía árabe, desafió a Lulio a que le presentara pruebas de la superioridad de la religión de Cristo sobre la de Mahoma.

Uno de los argumentos, presente en sus libros de controversia, consiste en presentar a los sarracenos los Diez Mandamientos como la ley perfecta de Dios, y en mostrar después, con citas de sus propios libros, que Mahoma violó cada uno de estos preceptos divinos. Otro argumento favorito de Lulio para con los musulmanes era describir las siete virtudes cardinales y los siete pecados capitales, para demostrar acto seguido cuán vacío estaba el islam de las primeras y cuán lleno de los últimos. Tales argumentos han de usarse con sumo cuidado aun en nuestro siglo; podemos imaginarnos el efecto que producirían sobre los musulmanes del norte de África en los días de Lulio.

Llegó la persecución. Lulio fue echado a un calabozo y sufrió por medio año una prisión rigurosa, aliviado solamente por algunos comerciantes de Génova y de España, que tenían compasión del anciano paladín de su común fe.

Mientras tanto, se ofrecían al filósofo cristiano riquezas, mujeres, una posición elevada, bajo la única condición de abjurar de su fe y hacerse musulmán. Ésta era la respuesta que Lulio daba desde lo

---

7 Sir William Muir, *The Mameluke Dynasty* (La dinastía mameluca), pp. 67-68.

profundo de su calabozo a todas sus proposiciones: «¿Vosotros tenéis para mí mujeres y toda clase de placeres mundanos, si yo aceptase la ley de Mahoma? ¡Ay! Estáis ofreciendo un pobre premio, pues todos vuestros bienes terrenales no pueden comprar la gloria eterna. Yo, por el contrario, os prometo, si queréis renunciar a vuestra ley falsa y diabólica, que se extendió por la espada y la fuerza solamente, y si aceptáis mi fe, la vida eterna; pues la fe cristiana se propagó por la predicación y por la sangre de los santos mártires. Por tanto os amonesto que os hagáis cristianos aún ahora, alcanzando así la gloria eterna y escapando de los tormentos del infierno».[8] Tales palabras en labios de un hombre de setenta y tres años, que dominaba el idioma árabe a la perfección, erudito en toda la sabiduría de la filosofía arábiga, y en cuyos ojos irradiaba un vivo celo por la verdad, debieron haber tenido una fuerza tremenda.

Mientras estaba detenido en la cárcel, Lulio propuso que ambos bandos escribiesen una apología de su fe. Estaba ocupado en cumplir su parte del acuerdo, cuando un mandato repentino del gobernador de Bugía ordenó su destierro. No sabemos si el motivo de tal orden fue el miedo a los resultados que seguirían a la predicación de Lulio. Sus biógrafos indican que los musulmanes visitaban a Lulio en su cárcel, y le incitaban repetidas veces a que apostatase. «Durante su encarcelamiento de seis meses le acometieron con todas las tentaciones sensuales del islam».[9]

Debió de haber sido una experiencia amarga para el misionero, al recordar los pecados de su juventud y la visión de su turbulenta adolescencia.

Mas a través de burlas y tormentos
Siempre a ti te tenía;
Tu mano cada vez con más firmeza
Apretaba la mía;
Y tus gloriosos ojos me alentaban
De amor llenos, diciendo:
«Sígueme, que tu Maestro soy y te sonrío
Tu fe y lealtad viendo».

---

8 Keller, *Geisteskampf*, pp. 59, 60. Maclear p. 365,

9 «Promittebant ei uxores, honores domum, et pecuniam copiosam», en *Vita prima*, cap. IV.

Raimundo Lulio salió de Bugía prácticamente preso, pues los musulmanes no querían que se repitiera el incidente que había seguido a su embarque en Túnez. Durante el viaje se levantó una tempestad y el navío naufragó frente a la costa italiana, cerca de Pisa. Allí le rescataron y le recibieron con todo respeto aquellos que habían oído su fama de filósofo y de misionero. Desde Pisa, Lulio marchó por Génova a París; de su labor allí y en el Concilio de Vienne hemos dado ya cuenta.

CAPÍTULO 8

Raimundo Lulio, filósofo y escritor

«Fue a la par un sistematizador filosófico y un químico analítico, marinero diestro y eficaz propagandista del cristianismo».
—Humboldt, *Cosmos* II, 629.

«No hay fin de hacer muchos libros; y el mucho estudio es fatiga de la carne».
—Eclesiastés 12:12

Será difícil abarcar en un breve capítulo un examen de la filosofía de Lulio, que durante dos siglos después de su muerte mantuvo perplejos a los eruditos de Europa. Apenas podremos dar noticia de una pequeña parte de la vasta bibliografía que tiene por autor a Lulio. No se sabe qué admirar más, el carácter versátil de su genio o la prodigiosa actividad de su pluma.

Raimundo Lulio fue desde su juventud un maestro en el dominio del catalán y escribió en este idioma mucho antes de su conversión. No hay[a] catálogo completo de sus obras en esta lengua. Uno de los biógrafos de Lulio declara que sus libros llegan a cuatro mil. En la primera edición publicada de sus obras (1721), se dan doscientos

---

a Afortunadamente, la filología catalana y los estudios lulianos ofrecen un panorama mejor hoy que en los días de Zwemer, si bien la figura y la obra del personaje siguen siendo objeto de especulaciones en algunos puntos. [Nota del editor]

cuarenta y dos títulos; pero sólo cuarenta y cinco de éstas, al imprimirlas, ocupaban ya diez grandes tomos tamaño folio. Para entender algo del alcance y de la ambición de este genio intelectual hay que leer la lista parcial de sus libros, dada en la bibliografía incluida al final del presente libro. Lulio fue filósofo, poeta, novelista, escritor de proverbios, lógico sutil, teólogo profundo y controversista ardoroso. No había en sus días ciencia cultivada a la cual no contribuyese. El historiador y crítico Winsor declara que en el año 1295 Lulio escribió un manual sobre navegación que nadie superó hasta después de Cristóbal Colón. El Dr. George Smith atribuye a Lulio la invención independiente de la brújula del marinero. No le falta razón, porque hallamos referencias repetidas a la aguja magnética en sus libros devocionales.[1] Escribió un tratado sobre el peso de los elementos y su forma, sobre el sentido del olfato, sobre astronomía, astrología, aritmética y geometría. Uno de sus libros lleva este título: *Sobre la cuadratura y la triangulación del círculo*. Estaba familiarizado del mismo modo con la medicina, la jurisprudencia y la metafísica de la Edad Media. Sus siete tomos sobre medicina incluyen un libro acerca del uso de la mente para curar a los enfermos y otro acerca del efecto del clima sobre las enfermedades.

Fue teólogo dogmático y escribió sesenta y tres tomos de discusión teológica. Algunos de ellos son tan abstrusos que hacen dudar que su autor mereciera el título de «Doctor Illuminatus», conferido por sus contemporáneos. Hay otros títulos entre sus escritos teológicos que despiertan la curiosidad, tales como: *Sobre la más trina Trinidad, Sobre la forma de Dios, Sobre el lenguaje de los ángeles*, etc.

Entre los sesenta y dos libros de meditación y devoción que se han preservado en las listas de los escritos de Lulio, no hay ninguno sobre los santos y solamente seis tratan de la Virgen María. Ésta es una de las muchas pruebas halladas en los libros de Lulio que muestran que él fue más católico que romano y que apreciaba a Cristo más que a todos los santos del calendario romano. Uno de sus libros devocionales lleva el título de *Sobre los cien nombres de Dios*. Evidentemente, lo había preparado para el uso de los musulmanes que buscaban la luz.[2]

---

1 Véase *Liber de Miraculis Coeli et Mundi*, part. IV, sobre el imán calamita.

«Como la aguja naturalmente se vuelve al Norte, cuando la toca el imán, así conviene...» *Liber Contemplationis in Deo*.

En su tratado *Félix o Libro de las Maravillas*, publicado en el año 1236, otra vez se refiere al uso de la brújula del marinero. Véase Humboldt, *Cosmos*, II, 630, nota.

2 Según la doctrina musulmana, Alá tiene un centenar de nombres hermosos. El rosario del musulmán tiene por tanto cien cuentas. Contar estos nombres es un ejercicio devocional.

Raimundo Lulio escribió o recopiló tres libros de proverbios, de los cuales uno contiene seis mil dichos populares y máximas. Aquí hay unas pocas de las muchas joyas hermosas que se pueden hallar en esta colección:

Deum dilige, ut ipsum timeas.
Pax est participatio sine labore.
Divitiae sunt copiositates voluntatis.
Deus exemplum dedit de sua unitate in natura.
Fortitudo est vigor cordis contra maliciam.
Praedestinatio est scire Dei qui scit homines.
Deus adeo magnum habet recolere quod nihil obliviscitur.

Ama a Dios para que le temas debidamente.
Dios nos ha dado en la naturaleza un ejemplo de su unidad.
Paz es participación sin esfuerzo.
La fortaleza es la fuerza del corazón contra la malicia.
Es riqueza aquello que sacia la voluntad.
La predestinación es el conocimiento que Dios tiene al conocer
    a los hombres.
Dios tiene tanto que recordar que no olvida nada.

Entre las obras de Lulio hay veinte sobre lógica y metafísica. Una de las últimas tiene el título *Sobre la grandeza y la pequeñez del hombre.* Entre sus sermones y libros sobre la predicación hay solamente un comentario que, en consonancia con la misión y el carácter de Lulio, se centra en el prólogo del Evangelio según San Juan.

No parecía haber límite a la cantidad de libros polemistas en los días de Lulio. Sin embargo, sus escritos de esta índole no son, como los de sus contemporáneos, contra herejes para condenarles con sus errores a la perdición eclesiástica. Aun los títulos de sus escritos de controversia reflejan su espíritu pacificador y su deseo más de convertir que de convencer. En todos sus libros se halla un espíritu de devoción profunda; incluso su filosofía natural está llena del mundo venidero y de su gloria. Al final de uno de sus libros prorrumpe en esta oración: «¡Oh, Señor, auxilio mío! hasta que no complete esta obra, tu siervo no puede ir al país de los sarracenos para glorificar tu glorioso nombre; pues tan ocupado estoy con este libro que emprendo para honra tuya, que no puedo pensar en ninguna otra cosa. Por tanto ruego que me concedas la gracia de estar a mi lado, para que pronto lo acabe y parta con presteza a sufrir la muerte de mártir por amor tuyo, si te place tenerme por digno de ello».

En el año 1296 concluyó una obra sobre la lógica del cristianismo con este canto seráfico acerca de las misiones a todo el mundo: «Que los cristianos consumidos con amor ardiente para la causa de la fe, consideren sólo esto: que no habiendo nada capaz de resistir a la verdad, ellos pueden, con la ayuda de Dios y su poder, traer a la fe a los infieles, de modo que el nombre precioso de Jesús, que en las más de las regiones todavía no se conoce por la mayoría de los hombres, sea proclamado y adorado». Y otra vez: «Como mi libro se termina en la víspera de Juan Bautista, que fue el heraldo de la luz, y señaló a Aquel que es la luz verdadera, plazca a nuestro Señor encender una luz nueva del mundo, que guíe a los incrédulos a la conversión, para que ellos con nosotros encuentren a Cristo, a quien sea honor y alabanza por todos los siglos». Esto no es lenguaje de retórica piadosa, sino el grito apasionado de un alma que anhela la venida del Reino.

Lulio era un autor popular. No solamente escribió en latín docto, sino también en la lengua vulgar de su tierra nativa. Noble le llama el Moody del siglo XIII. Procuraba llegar a las muchedumbres. Su influencia sobre las ideas populares religiosas en España fue tan grande, por medio de sus himnos, proverbios y catecismos en catalán, que Helfferich le compara a Lutero y le llama «reformador antes de la Reforma».[3] Popularizó el estudio de la teología poniendo en verso sus doctrinas fundamentales, para que los legos pudieran aprender de memoria un sumario de la fe católica y discutir con musulmanes y judíos con argumentos preparados.

La escolástica era para el clero. El «método de Lulio» estaba ideado para los laicos también. Raimundo Lulio no había quedado satisfecho con los métodos de investigación científica comúnmente usados. Por eso se dispuso a construir su *Ars Maior* o *Arte Mayor*, en la cual, mediante una serie de combinaciones mecánicas y un sistema mnemotécnico, se adaptaba para dar respuesta a cualquier pregunta que se hiciera sobre cualquier asunto. Esta filosofía nueva es la nota clave de la mayoría de los tratados de Lulio. Todas sus obras filosóficas son solamente explicaciones y fases diferentes de la *Ars Maior*. En sus otros libros raras veces deja de invocar a esta clave universal de conocimientos que suministra su gran arte.

---

3 *Der Protestantismus in Spanien zur Zeit der Reformation* (El protestantismo en España en el tiempo de la Reforma), Prot. Monatsblätter, v. H. Gelzer, 1856, pp. 133-168. También su *Raymund Lull*, pp. 152-154.

¿Cuál es el método de la filosofía de Lulio? El relato más completo y la explicación más esclarecedora de sus abstrusas perplejidades lo da Prantl, en su *Historia de la lógica* (vol. III. 145-177), como resumimos a continuación:

La racionalidad y capacidad de demostración del cristianismo es la verdadera base de su gran método. Lulio sostenía que lo que más impedía la difusión de la verdad cristiana era la tentativa de sus defensores de representar sus doctrinas como misterios indemostrables. La diferencia entre el Cristo y el Anticristo se halla precisamente en el hecho de que el primero puede probar su verdad por milagros, etc., mientras que el último no puede hacerlo. La gloria del cristianismo, argumenta Lulio, es que no sostiene lo indemostrable, sino simplemente lo suprasensible. No es contrario a la razón, sino superior a la razón no santificada. Sin embargo, la demostración que Lulio busca no es la de la lógica ordinaria. Dice que nos hace falta un método que razone no solamente del efecto a la causa o de la causa al efecto, sino *per aequiparantiam*, es decir, demostrando que en un sujeto pueden existir atributos contrarios unidos. Este método ha de ser real, y no enteramente formal o subjetivo. Debe ocuparse de las realidades mismas y no meramente de designios secundarios.

El gran arte de Lulio va más allá de la lógica y la metafísica; provee un arte universal de descubrimiento y contiene las fórmulas a las cuales puede reducirse toda demostración en todas las ciencias. Es en realidad una especie de enciclopedia de categorías y de silogismos. El *Ars Maior* de Lulio es un cuadro de los diferentes puntos de vista desde los cuales se pueden formar proposiciones sobre un asunto. Es una mnemónica o, mejor dicho, un plan mecánico para descubrir todas las categorías posibles que se aplican a cualquier proposición posible. Así como sabiendo las terminaciones o conjugaciones típicas de la gramática árabe, por ejemplo, podemos declinar o conjugar cualquiera palabra, así —razona Lulio—, conociendo los diferentes tipos de existencia y sus relaciones y combinaciones posibles, poseeríamos el conocimiento de la naturaleza y de toda la verdad como un todo sistemático.

«El arte mayor, por tanto, empieza estableciendo un alfabeto según el cual las nueve letras desde B a K representan las diferentes clases de sustancias y atributos. De este modo, en la serie de sustancias, B representa a Dios, C al ángel, D al cielo, E al hombre, etc. En la serie de atributos absolutos, B, representa bondad, D, duración, C, grandeza. O también, en las nueve preguntas de la filosofía escolástica, B, representa *utrum*, C, *quid*, D, *de quo*, etc.». Manipulando estas letras de tal modo que muestren las relaciones de objeto y predicados diferentes, se practica el «arte nuevo». Esta manipulación se efectúa con el uso de ciertas llamadas «figuras» o combinaciones geométricas. Su construcción difiere en los varios libros de la filosofía de Lulio; sin embargo, su carácter general es el mismo. Se dividen círculos y otras figuras en secciones por medio de líneas o colores, y luego se señalan con las letras simbólicas lulianas de modo que muestren todas las combinaciones de que las letras son capaces. Por ejemplo, una figura representa las posibles combinaciones de los atributos de Dios, otra las posibles condiciones del alma, y así sucesivamente. Además estas figuras se hallan limitadas por varias definiciones y reglas, y el uso que de ellas ha de hacerse se ha especificado además por varias «evacuaciones» y «multiplicaciones» que nos muestran cómo agotar todas las posibles combinaciones y series de preguntas que los términos de nuestras proposiciones admiten. «Multiplicada» de esta manera, la cuarta figura es, según el lenguaje de Lulio, aquella por medio de la cual se pueden adquirir otras ciencias del modo más pronto y conveniente. Por tanto, se la puede tomar como digna muestra del método de Lulio. Esta «cuarta figura» es sencillamente un arreglo de tres círculos concéntricos, divididos en secciones, B, C, D, etc. Están construidos en cartón de tal manera que cuando el círculo superior y más pequeño queda fijo, los dos inferiores y exteriores giran alrededor de él. Tomando las letras en el sentido de las series podemos luego, haciendo girar los círculos exteriores, encontrar las posibles relaciones entre conceptos diferentes y deducir el acuerdo o desacuerdo que existe entre ellos. Mientras, de una manera parecida, el círculo medio nos da los términos intermedios por los cuales han de relacionarse o desunirse.

El método luliano de una rueda dentro de otra parece a primera vista tan confuso como las visiones de Ezequiel, y tan pueril como la máquina automática de hacer libros de que se menciona en *Los viajes de Gulliver*. Sin embargo, sería injusto decir que Lulio suponía que «se podría reducir el pensar a una mera rotación de círculos de cartón», o que su arte enseñaría a los hombres «a hablar sin juicio de lo que no sabemos». Lulio se esforzaba por dar, no un compendio de conocimientos, sino un método de investigación. Buscaba para la filosofía un método más científico que la dialéctica de sus contemporáneos. En su concepto de un método universal y en su aplicación de las lenguas vulgares a la filosofía fue heraldo del mismo Bacon. En su demanda de una religión razonable se adelantó a su época. Y en la aplicación de este sistema, débil como era, a la conversión de los infieles, demostró ser el primer misionero filósofo. Comprendió las posibilidades (aunque no las limitaciones) de la teología comparada y de la ciencia de la lógica como armas para el misionero.

Nada ilustrará tan claramente el carácter versátil y brillante del genio de Lulio como pasar de su *Ars Maior* a su novela religiosa *Blanquerna*, la gran alegoría medieval, predecesora de *El peregrino*, de Bunyan.[4] En realidad, Raimundo Lulio fue el primer europeo que escribió una novela religiosa en lengua vernácula. Sin duda conocía bien los romances caballerescos antes de su conversión. Por tanto, resultaba de lo más natural que el caballero misionero escribiera el romance de su nueva cruzada de amor contra los sarracenos. *Blanquerna* es una alegoría en cuatro libros. Su título segundo declara que es «un espejo de la moral de todas las clases de la sociedad, y trata del matrimonio, la religión, la prelacía, el papado y la vida eremítica». Es la historia de la peregrinación de Enasto, el héroe, que se casa con Aloma, la hija de una viuda rica. Su único hijo, Blanquerna, desea hacerse fraile, pero se enamora en una joven piadosa y hermosa, llamada Doña Cana. Sin embargo, ambos deciden permanecer en la vida ascética. Blanquerna ingresa en un convento y su hermosa dama se hace monja. La alegoría relata las experiencias de estos personajes en sus diferentes ambientes: el peregrino, el fraile y la abadesa. En palabras del mismo Lulio en otro de sus libros, «vemos al peregrino viajar a países distantes en busca tuya, aunque tú estás tan cerca que todo hombre, si quisiera, podría hallarte en su propia casa y en su cámara. Los peregrinos son tan engañados por hombres falsos, que encuentran en tabernas e iglesias, que muchos de ellos, cuando vuelven a casa, se muestran mucho peores de lo que eran cuando salieron». Doña Cana disputa con sus hermanas monjas la autoridad del sacerdote para someter la conciencia ¡y hasta pone en duda algunas de las doctrinas de la Iglesia! Los distintos personajes llevan nombres alegóricos. Cuando Blanquerna llega a Roma, el papa tiene un bufón llamado «Raimundo el bobo», que no es otro sino el mismo Lulio, y que dice a los cardenales algunas palmarias verdades. Por último, Blanquerna es elegido papa y reparte misiones a cada uno de sus cardenales, basándose en frases del antiguo himno latino «Gloria in excelsis Deo». Así, uno se llama «Te damos gracias», otro «Te glorificamos», otro «Tú sólo eres santo», etc. El papa usa su

---

4 Helfferich, pp. 111-112, cree que la alegoría se escribió primeramente en árabe y luego fue traducida al catalán. Existen varios manuscritos de ella en los archivos de Palma, etc. Se imprimió por primera vez en el año 1522.

autoridad para enviar una hueste de frailes misioneros con objeto de convertir a judíos y mahometanos.

En varias partes del libro se encuentran cánticos de alabanza y de devoción, y la idea misionera se halla siempre presente. Esta notable alegoría, tanto como muchas otras obras de Lulio, merece rescatarse del olvido. La llegada de Blanquerna a la puerta del Palacio Encantado, sobre cuyo portal se hallan escritos los Diez Mandamientos, y el cónclave solemne de ancianos venerables que encuentra dentro disertando sobre la vanidad del mundo, son dos escenas que revelan un genio igual al de Juan Bunyan. Hay otras semejanzas entre estos dos peregrinos rescatados de la Ciudad de Destrucción y que describen sus propias experiencias en forma de alegoría; pero presentarlas aquí alargaría demasiado este capítulo. Quien desee saber más de Lulio como filósofo y autor acuda a los títulos mencionados en la bibliografía y a sus propias obras.

CAPÍTULO 9

※※

Último viaje misionero y martirio de Raimundo Lulio

«Como un hambriento se apresura y toma grandes bocados por causa de su gran hambre, así tu siervo siente un gran deseo de morir para glorificarte a ti. Se apresura día y noche para completar su obra a fin de que pueda entregar su sangre y sus lágrimas para ser derramadas por amor a ti».

—Lulio. *Liber Contemplationis in Deo.*

«¿No es la devoción siempre ciega? Para que un surco sea fecundo necesita sangre y lágrimas, las que San Agustín llama la sangre del alma».

—Sabatier.

Los escolásticos de la Edad Media enseñaban que había cinco métodos de adquirir conocimientos: observación, lectura, audición, conversación y meditación. Pero dejaron el método más importante, es decir, el del sufrimiento. La filosofía de Lulio le enseñó mucho, pero fue en la escuela del sufrimiento donde creció en santidad. El amor, no la erudición, nos da la clave de su carácter. El filósofo fue absorbido por el misionero. La última escena de la azarosa vida de Lulio no hay que buscarla en Roma, ni en París, ni en Nápoles en medio de sus discípulos, sino en África, en las mismas costas de donde fue dos veces desterrado.

En el Concilio de Vienne (como vimos en el capítulo 5) Lulio se regocijó al ver que daba fruto una parte del trabajo de su vida. Cuando se acabaron las deliberaciones del concilio y se había ganado la batalla sobre la enseñanza de los idiomas orientales en las universidades de Europa, se podría haber pensado que estaría dispuesto a disfrutar el reposo que tan merecido tenía. Raimundo Lulio contaba a la sazón setenta y nueve años y el peso de los últimos años de su vida se dejaría sentir de una manera marcada aun sobre un cuerpo tan fuerte y un espíritu tan valiente como el suyo. Naturalmente sus discípulos y amigos deseaban que terminase sus días en la pacífica ocupación del estudio y gozando de la compañía de los que le estimaban.

Pero no era ese el deseo de Lulio. Su ambición era morir como misionero y no como profesor de filosofía. Aun su favorita *Ars Maior* había de ceder a aquella *ars maxima* expresada en el lema del mismo Lulio: «El que vive por la Vida, no puede morir».

Este lenguaje nos hace recordar la Segunda Epístola de Pablo a Timoteo, donde el apóstol nos relata que él también estaba «ya para ser sacrificado, y el tiempo de su partida estaba cercano». En las *Contemplaciones* de Lulio leemos: «Como la aguja naturalmente se vuelve hacia el Norte cuando se la toca con el imán, así conviene, oh, Señor, que tu siervo se vuelva a ti para amarte, alabarte y servirte; ya que por amor a él tú estuviste dispuesto a soportar angustias y sufrimientos tan penosos». Y, en otro lugar: «Los hombres suelen morir, oh Señor, por edad avanzada, falta de calor natural y exceso de frío; pero así, si es tu voluntad, tu siervo no desearía morir; preferiría morir en el ardor del amor, como tú estuviste dispuesto a morir por él».[1]

Otros pasajes en los escritos lulianos de esta época, tales como las palabras que encabezan este capítulo, manifiestan que anhelaba la corona del martirio. Si consideramos la época en que vivía y la raza de la cual descendía, esto no nos sorprende. Aun antes del siglo XIII, millares de cristianos murieron como mártires de la fe en España; muchos de ellos atormentados cruelmente por los musulmanes por haber blasfemado contra Mahoma.

Prevalecía en la orden franciscana una obsesión por el martirio. Cada fraile enviado a tierra extranjera deseaba con ansia ganar la corona celestial y llevar la purpúrea flor de pasión. El espíritu de las cruzadas se había apoderado de la Iglesia y de sus guías, aun después del fracaso

---

1 *Liber Contemplationis*, CXXIX, 19; *Vita Secunda*, cap. V y *Liber Contemplantionis*, CXXX, 27, cf. Maclear, p. 367.

de sus siete tentativas para vencer por la espada. Bernardo de Clairvaux escribió a los templarios: «El soldado de Cristo está seguro cuando mata, y más seguro cuando muere. Cuando mata beneficia a Cristo; cuando muere se beneficia a sí mismo».

Mucho antes de esta época, el ideal del martirio se había apoderado de la Iglesia. La literatura popular estaba llena de historias de los primeros mártires, para aventar la llama del entusiasmo. Sobre la base de muchos pasajes de las Escrituras,[2] se suponía que la muerte como mártir anulaba todos los pecados de la vida pasada, hacía las veces del bautismo y aseguraba la admisión inmediata al paraíso sin pasar por el purgatorio. No hay más que leer a Dante, el gráfico retratista de la sociedad medieval, para ver ilustrada esta manera de pensar. Sobre todo se enseñaba que los mártires tenían la visión beatífica del Salvador (como la tuvo San Esteban) y que sus oraciones a la hora de muerte adelantaban con toda seguridad la venida del reino de Cristo.

Pero las pasiones violentas que tanto prevalecían, junto al odio universal contra judíos e infieles, hicieron olvidar a los hombres que «no es la sangre sino la causa lo que hace al mártir».

Raimundo Lulio se adelantaba a su época en sus fines y sus métodos, pero no estaba ni podía estar del todo libre de la influencia del ambiente que le rodeaba. El espíritu caballeresco no había muerto aún en el caballero que hacía cuarenta y ocho años había tenido una visión del crucificado y había sido armado caballero para una cruzada espiritual por sus manos traspasadas.

Sentía lo que el autor de un conocido himno inglés expresa cuando dice:

De Dios el Hijo va a la lid por su corona real;
su roja enseña ved allí, ¿quién a seguirle va?
Quien su copa pueda beber triunfará del dolor;
quien lleve fiel su cruz será feliz conquistador.
Los doce que Jesús mandó al mundo a predicar,
valientes fueron al decir de Cristo la verdad.
Espada, fuego, sin temor prefirieron sufrir
por no negar al Salvador. ¿Quién los quiere seguir?
Inmensa, noble multitud, del trono en derredor,
con ropas blancas como luz, gozan ya del Señor.

---

2 Lucas 12:50; Marcos 10:39; Mateo 10:39; Mateo 5:10-12. Veáse la enseñanza de los comentarios católicos romanos sobre estos pasajes.

Fieles, oh Dios, a tu verdad fueron hasta morir;
su ejemplo de fidelidad danos poder seguir.

Los peligros y dificultades que en Génova hicieron retroceder a Lulio de su viaje en el año 1291 sólo servían para atraerle con más fuerza al norte de África en 1314. Su amor no se había enfriado, sino que ardía con tanta más llama «con la falta del calor natural y la debilidad de la vejez». Anhelaba no solamente ganar la corona de mártir sino también ver de nuevo a su pequeño grupo de creyentes. Animado por estos sentimientos, pasó a Bugía el 14 de agosto. Allí trabajó en secreto casi un año entero entre un pequeño grupo de convertidos, a quienes había ganado para la fe cristiana durante sus visitas anteriores.

Tanto a estos convertidos como a cualesquiera otros oyentes dispuestos a reunirse con ellos en conversación religiosa, Lulio siguió hablando sobre el único tema del cual nunca parecía cansarse: la superioridad inherente del cristianismo sobre el islam. Veía que la verdadera fuerza del islam no consiste en el punto segundo de su brevísimo credo, sino el punto primero. El concepto mahometano de la unidad y de los atributos de Dios es una gran verdad a medias. Toda su filosofía religiosa gira alrededor de la idea falsa del monismo absoluto de la Deidad. No hallamos a Lulio desperdiciando argumentos para desaprobar la misión de Mahoma, sino presentando hechos para demostrar que el concepto de Dios presentado por Mahoma era deficiente y falso. Aunque no hubiera merecido tal honor por ninguna otra cosa, el solo hecho de haber sido el primero en formular este gran principio apologético en la controversia con el islam, le señala como el gran misionero a los musulmanes.

«Si los musulmanes», argumentaba él, «conforme a su ley afirman que Dios amó al hombre, porque lo creó, le dotó con facultades nobles y derrama sus beneficios sobre él, entonces los cristianos conforme a su ley afirman lo mismo. Pero por cuanto los cristianos creen más que esto y afirman que Dios de tal manera amó al hombre que estuvo dispuesto a hacerse hombre, a sufrir pobreza, ignominia, tortura y muerte por su amor, lo cual no enseñan los judíos y los sarracenos referente a él; por esto la religión de los cristianos, que así revela un amor que excede a todo otro amor, es superior a aquella que lo revela solamente en un grado inferior». El islam es una religión sin amor. Raimundo Lulio creía y probaba que el amor la podía vencer. El Corán niega la encarnación y queda así ignorante del verdadero carácter, no solamente de la divinidad, sino de Dios mismo (Mateo 11:27).

Por el tiempo en que Lulio visitó Bugía y fue encarcelado, los musulmanes ya estaban replicando a sus tratados y ganando convertidos de entre los cristianos. Él dice: «Los sarracenos escriben libros para la destrucción del cristianismo; yo mismo he visto tales libros cuando estuve en la cárcel... Por un sarraceno que se hace cristiano, diez cristianos, y aun más, se hacen mahometanos. Los que tienen la potestad debían considerar cuál será el fin de tal estado de cosas. Dios no puede ser burlado».[3]

Por lo visto, Lulio no pensaba que la falta de un éxito inmediato fuera argumento para abandonar la obra de predicar las inescrutables riquezas de Cristo a los musulmanes. Como alguien ha dicho, «un elevado fracaso es mil veces preferible al éxito que pueda alcanzarse con propósitos inferiores».

Durante más de diez meses, el anciano misionero permaneció escondido, hablando y orando con sus convertidos y procurando influir sobre aquellos que todavía no estaban persuadidos. Su única arma era el argumento del amor de Dios en Cristo, y su «escudo de la fe» era aquel escudo del arte medieval que tan adecuadamente simboliza la doctrina de la Santa Trinidad. Todos los escritos de Lulio están repletos de la longitud, anchura, profundidad y altura del amor de Cristo.

Finalmente, cansado de su reclusión y anhelando el martirio, salió a la plaza del mercado y se presentó a la gente como el mismo a quien una vez habían expulsado de su ciudad. ¡Era Elías mostrándose a una muchedumbre de Acabs! Lulio se presentó delante de ellos amenazándoles con la ira divina si persistían en sus errores. Imploró con amor, pero habló claramente toda la verdad. Las consecuencias se pueden fácilmente imaginar. Lleno de furia fanática ante su intrepidez e incapaz de replicar a sus argumentos, el populacho se apoderó de él y lo arrastró fuera de la ciudad. Allí, por orden del rey, o al menos con su consentimiento, fue apedreado el 30 de junio de 1315.

Si Raimundo Lulio murió aquel día o fue rescatado todavía con vida por alguno de sus amigos, es cuestión que se disputa entre sus biógrafos. Según esta segunda idea, sus amigos llevaron al santo herido a la playa y fue trasladado en un buque a Mallorca, su tierra natal, muriendo antes de llegar a Palma. Según otros informes, que me parecen tener más base, Lulio no sobrevivió al apedreamiento, sino que murió como Esteban, fuera de la ciudad. También en este caso hombres piadosos

---

3 Smith, *Short History of Christians Missions* (Breve historia de las misiones cristianas), pp. 107 y 108.

acompañaron a Lulio a su sepultura, llevando el cadáver a Palma de Mallorca, donde se le dio lugar de reposo en la Iglesia de San Francisco. Más tarde se construyó en esta iglesia una tumba más elaborada que sirviera de monumento a Lulio. Su fecha es incierta, pero probablemente pertenece al siglo xiv. Encima de los entrepaños de mármol esmeradamente labrados están los escudos de armas o blasones de Raimundo Lulio; a cada lado se hallan brazos de lámpara de bronce para poner cirios. El entrepaño superior horizontal muestra a Lulio en reposo vestido de hábito franciscano, con un rosario a la cintura y sus manos en actitud de oración.

¿No cabe acaso pensar que fuera esa su actitud cuando el populacho enfurecido lanzó las piedras, una tras otra, contra el cuerpo del anciano misionero? Tal vez no solamente se asemejó a Esteban en la manera de su muerte, sino aun en su última oración.

En la enseñanza de la iglesia medieval había tres clases de martirio: la primera, de voluntad y de hecho, que es la más alta; la segunda, de voluntad pero no de hecho; la tercera de hecho, pero no de voluntad. San Esteban y todo el ejército de aquellos que fueron martirizados por el fuego o por la espada a causa de su testimonio son ejemplos de la primera clase de martirio. San Juan el Evangelista y otros como él que murieron en el destierro o de vejez como testigos de la verdad, mas sin violencia, son ejemplos de la segunda clase. Los santos inocentes matados por Herodes son un ejemplo de la tercera clase. Lulio fue a la verdad un mártir de voluntad y de hecho. No solamente en Bugía, cuando durmió en Cristo, sino durante todos los años de su larga vida después de su conversión, fue testigo de la verdad, dispuesto siempre «a cumplir en su carne lo que falta de las aflicciones de Cristo por su cuerpo, que es la iglesia».

Morir lapidado predicando el amor de Cristo a los musulmanes era un fin digno para una vida así. Como dice Noble, «Lulio fue el mayor de los misioneros desde Pablo a Carey y Livingstone. Su carrera recuerda las de Jonás el profeta, Pablo el misionero y Esteban el mártir. Aunque su muerte fue prácticamente una inmolación, la atrocidad sufrida quedó menguada ante su nostalgia del cielo, su anhelo de estar con Cristo y lo sublime de su carácter y su carrera».

CAPITULO 10

≈✦

Y, difunto, aún habla

«El que no ama no vive; el que vive por la Vida, no puede morir».
—Raimundo Lulio.

«Con un paso más, con algún eco que hubiera encontrado en la iglesia o en la época en que vivió, Raimundo Lulio hubiera ocupado el lugar de William Carey, adelantándose a él nada menos que siete siglos».
—George Smith.

Neander no vacila en comparar a Raimundo Lulio con Anselmo. Los relaciona por poseer tres talentos nada comunes entre los hombres y que rara vez se hallan reunidos en una sola persona, es decir: una inteligencia poderosa, un corazón lleno de amor, y eficacia en asuntos prácticos. Si reconocemos que Lulio poseía estos tres dones divinos, lo colocamos con ello a la cabeza como el tipo verdadero de lo que debería ser un misionero a los musulmanes en el día de hoy.

El hombre, que Helfferich llama «la figura más notable de la Edad Media», estando ahora muerto, habla todavía. La tarea que él emprendió antes que nadie está todavía delante de la iglesia, sin realizar. El misionero actual al islam puede ver un reflejo de sus propias pruebas de fe, dificultades, tentaciones, esperanzas y aspiraciones en la historia de Lulio. Solamente se puede armar con su espíritu de abnegación y de entusiasmo para el conflicto con este Goliat de los filisteos, que durante trece siglos ha desafiado los ejércitos del Dios viviente.

Los escritos de Lulio contienen divisas gloriosas para la cruzada espiritual contra el islam en el siglo xx[a]. Cuán conforme con el espíritu misionero de hoy es esta oración, que hallamos al fin de uno de sus libros: «Señor del cielo, Padre de todos los tiempos, cuando tú enviaste a tu Hijo para revestirse de la naturaleza humana, él y sus apóstoles vivían exteriormente en paz con judíos, fariseos y otros hombres; pues nunca usaron la violencia para cautivar o matar a ninguno de los incrédulos o de los que les persiguieron. De esta paz exterior se sirvieron para llevar a los errantes al conocimiento de la verdad y a la comunión espiritual con ellos mismos. Y así, según tu ejemplo, habían de conducirse los cristianos con los musulmanes. Pero, puesto que aquel ardor de devoción que resplandecía en los apóstoles y los santos de la antigüedad ha dejado de inspirarnos, el amor y la devoción se han enfriado en casi todo el mundo. Por eso los cristianos emplean sus fuerzas mucho más en luchas materiales que en las espirituales».

La guerra de Inglaterra en el Sudán costó cien veces más, en vidas y en dinero, que todas las misiones a los musulmanes durante el siglo xix. Sin embargo, esa guerra se hizo meramente para abatir por el fuego y la espada a un usurpador musulmán. Pero las misiones representan el esfuerzo de la cristiandad para convertir a más de doscientos millones[a] de almas que están en la oscuridad del islamismo.

Había mil veces más entusiasmo en la oscuridad medieval para arrebatar un sepulcro vacío a los sarracenos del que hay en nuestros días para llevarles el conocimiento de un salvador viviente. Seiscientos años después de Raimundo Lulio todavía estamos «jugando a las misiones» en lo que se refiere al mahometanismo. Pues hay más mezquitas en Jerusalén que misioneros cristianos en toda la Arabia; y más millones de musulmanes sin evangelizar en China que el número de sociedades misioneras que trabajan por los musulmanes en todo el mundo.

En el África del Norte, donde Lulio dio testimonio de la verdad, no se reemprendieron misiones a los musulmanes hasta el año 1884.

---

a Aunque debemos insistir en que hay que situar las consideraciones y datos aportados por el autor en su contexto, hace ya un siglo, resulta llamativa la vigencia de sus conclusiones. Incluso las previsiones que no han seguido el curso que Zwemer imaginaba o deseaba, deben servirnos para la evaluación de la política cristiana de misiones al islam durante el siglo xx. [Nota del editor]

Ahora asoma de nuevo la aurora en Marruecos, Libia, Túnez, Argelia y Egipto. Sin embargo ¡cuán débiles son los esfuerzos en todos los países musulmanes comparados con las gloriosas oportunidades! ¡Cuán vasta es la obra todavía por hacer, seiscientos años después de Lulio!

Según estadísticas recientes[a] y completas, la población del mundo musulmán se calcula en 259.680.672.[1] De estos, 11.515.402 están en Europa, 171.278.008 en Asia, 19.446 en Australasia, 76.818.253 en África y 49.563 en América del Norte y del Sur. El tres por ciento de la población de Europa es musulmana; Asia tiene el dieciocho por ciento, y África el treinta y siete por ciento. De cada cien almas en el mundo, 16 son seguidores de Mahoma. El poder del islam se extiende por muchas regiones, desde Cantón a Sierra Leona, y desde Zanzíbar al Mar Caspio.

La fe de Mahoma está creciendo hoy en algunos países aún más rápido que en los días de Lulio. Sin embargo, en otras zonas, como la Turquía europea, el Cáucaso, Siria, Palestina y el Turquestán, el número de musulmanes decrece. En los días de Lulio el imperio de la fe musulmana y el de la política musulmana casi coincidían. En ninguna parte había libertad verdadera y todas las puertas de acceso parecían cerradas con llave. Ahora cinco sextas partes del mundo musulmán son accesibles a extranjeros y misioneros; pero ni la sexagésima parte ha sido ocupada por las misiones. No hay misiones a los musulmanes en todo el Afganistán, Turquestán occidental, Arabia occidental, central y meridional, Persia meridional, y amplias regiones del África central septentrional.

Las estadísticas misioneras de trabajo expresamente hecho entre los musulmanes se muestran como una excusa para la apatía en lugar de como un indicio de emprendimiento. La iglesia olvidó la herencia del gran ejemplo de Lulio y se quedó atrasada en varios siglos. El primer misionero a Persia llegó cuando el islam ya tenía mil años; Arabia esperó doce siglos; en China el islam llevaba ya mil cien años. Esta negligencia parece aún más inexcusable si consideramos las grandes oportunidades de hoy. Más de 125 millones de musulmanes viven ahora bajo gobiernos cristianos. Las llaves de todas las entradas del mundo musulmán están hoy en poder político de potencias cristianas con excepción de La Meca y de Constantinopla.

---

1 Dr. Hubert Jansen, *Verbreitung des Islams* (Extensión del Islam), Berlín 1897; una maravilla de investigación y exactitud.

Considérese solamente, por ejemplo, Gibraltar, Argelia, El Cairo, Túnez, Jartum, Batum, Aden y Muskat, por no hablar de la India y del Extremo Oriente.

Bajo la cobertura legal de los «infieles» no se pueden aplicar las leyes que castigan con pena de muerte a los que reniegan del islam.

Se podría casi visitar La Meca con tanta facilidad como Lulio visitó Túnez, si se mantuviera vivo entre nosotros el mismo espíritu de martirio que inspiró al misionero de Palma. El viaje desde Londres a Bagdad se puede realizar ahora con menos fatiga y en menos tiempo del que Lulio habrá necesitado para ir de París a Bugía.

¡Cuántas más esperanzas ofrece también la condición del islam hoy!

La descomposición filosófica del sistema empezó muy temprano, pero ha avanzado más rápidamente en el siglo pasado, XIX, que en los doce precedentes.

La fuerza del islam consiste en estar quieto, en prohibir pensar, en amordazar a los reformistas, en abominar el progreso. Mas los wahabitas ‹dispararon su arco a la ventura» e hirieron a su rey «por entre las junturas de la armadura». La acusación de falta de ortodoxia que hicieron contra el mahometanismo turco dio que pensar a todo el mundo. Abdul Wahab intentaba reformar el islam excavando en busca de los cimientos originales. ¡El resultado fue que ahora tienen que apuntalar la casa! En la India procuran disculpar la moral de Mahoma y someten al Corán a la alta crítica. En Egipto musulmanes prominentes abogan por la abolición del velo. En Persia el movimiento Babi ha socavado el islam por todas partes. En Constantinopla procuran echar vino nuevo en odres viejos, diluyendo cuidadosamente el vino; el partido Nuevos Turcos empeora la rotura del paño viejo con su política de remiendos nuevos.

Hay que añadir a todo esto que la Biblia ahora habla los idiomas del islam, y en todas partes prepara el camino para la victoria de la cruz. Aun en el mundo musulmán, y a pesar de todos los impedimentos, «amanece por todos lados». La gran lección de la vida de Lulio es que nuestras armas contra el islam nunca deben ser carnales.

El amor, y sólo el amor, vencerá. Pero ha de ser un amor abnegado y que lo consuma todo. Un amor que sea fiel hasta la muerte.

Dice Noble que «en resumidas cuentas, los millares de dones y gracias de Lulio hacen de él la estrella matutina y vespertina de las misiones». Presagió el ocaso de las misiones de la Edad Media y fue el heraldo de la aurora de la Reforma. La historia de su vida y de sus trabajos por el bien de los musulmanes durante una era oscura es un reto de fe que se nos dirige a nosotros , los que vivimos a la luz del siglo xx, para que sigamos en los pasos de Raimundo Lulio y ganemos todo el mundo musulmán para Cristo.

BIBLIOGRAFÍA[1]

A. Libros escritos por Raimundo Lulio

Uno de los biógrafos de Lulio declara que sus obras eran en torno a cuatro mil. Muchas de ellas se han perdido. Se dice de sus escritos en latín, catalán y árabe que existían un millar en el siglo xv. Salzinger de Maguncia sólo conocía doscientas ochenta y dos en el año 1721, y a pesar de eso solamente incluyó cuarenta y cinco de estas en su edición de las obras de Lulio en diez tomos. Se discute si los tomos siete y ocho llegaron a publicarse. Algunas de las obras no publicadas de Lulio se pueden hallar en la Biblioteca Imperial, las bibliotecas del Arsenal y de Ste. Geneviéve en París, también en las bibliotecas de Angers, Amiens, El Escorial, etc. La mayoría de sus libros se escribieron en latín; algunos primeramente en catalán y luego traducidos por sus discípulos; otros solamente en catalán o en árabe. En las *Acta Sanctorum*, tomo XXVI, página 640 y siguientes hallamos el siguiente catálogo clasificado de trescientos veintiún libros de Raimundo Lulio.·

---

1 La presente bibliografía responde a la situación de los estudios lulianos en los tiempos de la primera edición de este libro. Es evidente que no deben tomarse como punto de referencia para estudios modernos, aunque siempre será interesante considerarla para tener una idea del punto en que se encontraban en su momento y cuál ha sido su evolución desde entonces. [Nota del editor]

I. Libros sobre Artes Generales.

1. *Ars generalis.*
2. *Ars brevis*
3. *Ars generalis ultima.*
4. *Ars demonstrativa veritatis.*
5. *Ars altera demonstrativa veritatis.*
6. *Compendium artis demostrativae.*
7. *Lectura super artem demonstrativae.*
8. *Liber correlativorum innatorum.*
9. *Ars inventiva veritatis.*
10. *Tabula generalis ad omnes scientias applicabilis.*
11. *Ars expositiva.*
12. *Ars compendiosa inveniendi veritatem .*
13. *Ars alia compendiosa.*
14. *Ars inquirendi particularia in universalibus.*
15. *Liber propositionum secundum, etc.*
16. *Liber de descensu intellectus.*
17. *Ars penultima.*
18. *Ars scientiae generalis.*
19. *Lectura alia super artem inventivam veritatis.*
20. *De conditionibus artis inventivx.*
21. *Liber de declaratione scientiae inventivae.*
22. *Practica brevis super artem brevem.*
23. *Liber de experientia realitatis artis.*
24. *Liber de mixtione principiorum.*
25. *Liber de formatione tabularum.*
26. *Lectura super tabulam generalem.*
27. *Practica brevis super ecamdem:*
28. *Lectura super tertiani figuram tabulae generalis.*
29. *Liber facilis scientiae.*
30. *De quaestionibus super eo motis.*
31. *Liber de significatione.*
32. *Liber magnus demonstrationus.*
33. *Liber de lumine.*
34. *Liber de inquisitione veri et boni in omnia materia.*
35. *Liber de punctis transcendentibus.*
36. *Ars intellectus.*
37. *De modo naturali intelligendi in omni scientia.*
38. *De inventione intellectus.*
39. *De refugio intellectus.*

40. *Ars voluntatis.*
41. *Ars amativa boni.*
42. *Ars alia amativa* (comienza *Ad recognoscendum*).
43. *Ars alia amativa* (comienza *Deus benedictus*).
44. *Ars memorativa.*
45. *De quaestionibus super ea motis.*
46. *Ars alia memorativa.*
47. *De principio, medio et fine.*
48. *De differentia, concordantia, et contrarietate.*
49. *De equalitate, majoritate, et minoritate.*
50. *De fine et majoritate.*
51. *Ars consilii.*
52. *Liber alius de consilio.*
53. *Liber de excusatione Raymundi.*
54. *Liber ad intelligendam doctores antiquos.*
55. *Ars infusa.*
56. *Art de fer y soltar questions* (catalán).
57. *Fandamentum artis generalis.*
58. *Supplicatio Raymundi ad Parienses.*
59. *Liber ad memoriam confirmandam.*
60. *Liber de potencia objecta et acta.*
61. *Ars generalis rhythmica.*

II. Libros sobre Gramática y Retórica.
62. *Ars grammaticae speculativae completissima .*
63. *Ars grammaticae brevis.*
64. *Ars rhetoricae.*
65. *Rhetorica Lulli.*

III. Libros sobre Lógica y Dialéctica.
66. *Liber qui vocatur logica de Grozell (versu vulgari)*
67. *Logica parva.*
68. *Logica nova.*
69. *Dialecticam seu logicam novam.*
70. *Liber de novo modo demonstrandi.*
71. *Liber de fallaciis.*
72. *Logica alia de quinque arboribus.*
73. *Liber de subjecto et praedicato.*
74. *Liber de conversione subjeti et praedicati, etc.*
75. *Liber de syllogismis.*

76. *Liber de novis fallaciis.*
77. *Liber de modo natural et syllogistico*
78. *Liber de affirmatione et negatione et causa earum*
79. *Liber de quinque praedicabilibus.*
80. *Liber qui dicitur a fallacia Raymundi.*

IV. Libros sobre Filosofía.

81. *Liber lamentationes duodecim princip. philosoph.*
82. *Liber de principiis philosophiae.*
83. *Liber de ponderositate et levitate elementorum.*
84. *Liber de anima rationali.*
85. *Liber de reprobatione errorum Averrois.*
86. *Liber contra ponentes aeternitatem mundi.*
87. *Liber de quaestionibus.*
88. *Liber de actibus potentiarium, etc.*
89. *Liber de anima vegetativa et sensitiva.*
90. *Physica nova*
91. *De Natura.*
92. *Ars philosophiae.*
93. *De consequentis philosophiae.*
94. *Liber de generatione et corruptione.*
95. *Liber de graduatione elementorum.*
96. *Liber super figura elementari.*
97. *Liber de qualitatibus, etc., elementorum.*
98. *Liber de olfactu.*
99. *Liber de possibili et impossibili.*
100. *Ars compendiosa principiorum philosophise.*
101. *Liber de intensitste et extensitate.*

V. Libros sobre Metafísica.

102. *Metaphysica nova.*
103. *Líber de ente reali et rationis.*
104. *De proprietatibus rerum.*
105. *Liber de homine*
106. *De magnitudine et parvitate hominis.*

VI. Libros sobre varias artes y ciencias.

107. *Ars politica.*
108. *Liber militiae secularis.*
109. *Liber de militia clericali.*
110. *Ars de Cavalleria.*

111. *Tractatus de astronomia.*
112. *Ars astrologiae.*
113. *Liber de planetis.*
114. *Geometria nova.*
115. *Geometria magna.*
116. *De quadrangulatura et triangulatura circuli.*
117. *Ars cognoscendi Deum per gratiam.*
118. *Ars arithmetica.*
119. *Ars divina.*

VII. Libros sobre Medicina.
120. *Ars de principiis et gradibus medicinae*
121. *Liber de regionibus infirmitatis et sanitatis.*
122. *Liber de arte medicinae compendiosa.*
123. *Liber de pulsibus et urinis.*
124. *Liber de aquis et oleis*
125. *Liber de medicina theorica et practica.*
126. *Liber de instrumento intellectus in medicina.*

VIII. Libros sobre Jurisprudencia.
127. *Ars utriusque juris.*
128. *Ars juris particularis.*
129. *Ars principiorum juris.*
130. *Ars de jure.*

IX. Libros de devoción y contemplación.
131. *Liber natalis pueri Jesu.*
132. *Liber de decem modis contemplandi Deum.*
133. *Liber de raptu.*
134. *Liber contemplationis in Deo.*
135. *Liber Blancherna* (titulado también *Blanquerna*).
136. *Liber de orationibus et contemplationibus.*
137. *Liber de meditationibus, etc.*
138. *Liber de laudibus B. Virginis Mariae.*
139. *Liber appelatus clericus sive pro clericis.*
140. *Phantasticum* (autobiográfico).
141. *Liber de confessione.*
142. *Liber de orationibus.*
143. *Philosophia amoris.*
144. *Liber Proverbiorum.*
145. *Liber de centum nominibus Dei.*

146. *Orationes per regulas artis, etc.*
147. *Horae Deiparae Virginis, etc.*
148. *Elegiacus Virginis planctus.*
149. *Lamentatio, seu querimonia Raymundi.*
150. *Carmina Raymundi consolatoria.*
151. *Mille proverbia vulgaria.*
152. *Versus vulgares ad regem Balearium.*
153. *Tractatus vulgaris metricus septem articulos fidei demonstrans.*
154. *Liber continens confessionem.*
155. *Primum volumen comtemplationum.*
156. *Secundum volumen contemplationum.*
157. *Tertium volumen contemplationum.*
158. *Quartem volumen contemplationum.*
159. *De centum signis Dei.*
160. *De centum dignitatibus Dei.*
161. *Liber de expositione rationis Dominicae.*
162. *Liber alius de eodem.*
163. *Liber de Ave Maria.*
164. *Liber dictus, Parvum contemplatorium.*
165. *Liber de praeceptis legis.... et sacramentis, etc.*
166. *Liber de virtutibus et peccatis.*
167. *Liber de compendiosa contemplatione.*
168. *Liber Orationum.*
169. *Liber de Orationibus per decem regulas.*
170. *Liber de viis Paradisi et viis Inferni.*
171. *Liber de orationibus et contemplationibus.*
172. *Liber dictus, Opus bonum.*
173. *Liber de conscientia.*
174. *Liber de gaudiis Virginis.*
175. *Liber de septem horis officii Virginis.*
176. *Liber alius ejusdem argumenti.*
177. *Planctus dolorosus Dominae nostrae, etc.*
178. *Ars philosophiae desideratae (ad suum filium).*
179. *Ars contitendi.*
180. *Liber de doctrina puerili.*
181. *Doctrina alia puerilis parva.*
182. *Liber de prima et secuna intentionibus.*
183. *Blancherna magnus.*
184. *Liber de placida visione.*
185. *Liber de consolatione eremitica.*

186. *Ars ut ad Deum cognoscendum, etc.*
187. *Liber ducentorum carminum.*
188. *Liber de vita divina.*
189. *Liber de definitionibus Dei.*
190. *El desconsuelo* (catalán, *Lo Desconort*).
191. *Liber hymnorum.*
192. *Liber sex mille proverbiorum in omnia materia.*

X. Libro de sermones o sobre la predicación.
193. *Ars praedicabilis.*
194. *Liber super quatuor sensus S. Scripturae*
195. *Ars praedicandi major.*
196. *Ars praedicandi minor.*
197. *Liber quinquaginta duorum sermonum, etc.*
198. *Commentaria in primordiale Evang. Ioannis.*

XI. Libro sobre varios asuntos (*Libri Quodlibetales*).
199. *Liber primae et secundae intentionis.*
200. *Liber de miraculis coeli et mundi.*
201. *Arbor scientiae.*
202. *Liber quaestionum super artem, etc.*
203. *Liber de fine.*
204. *Consilium Raymundi.*
205. *Liber de acquisitione terrae sanctae.*
206. *Liber de Anti-Christo.*
207. *Liber de mirabilibus orbis.*
208. *Liber de civitate mundi.*
209. *Liber variarum quaestionum.*
210. *Liber de gradu superlativo.*
211. *Liber de virtute veniali et mortali.*

XII. Libros de discusión y controversia
212. *Liber de gentile et tribus sapientibus.*
213. *Tractatus de articulis fidei.*
214. *De Deo ignoto et de mundo ignoto.*
215. *Liber de efficiente et effectu.*
216. *Disputatio Raymundi et Averroistae de quinque quaestionibus.*
217. *Liber contradictiones inter Raymund et Averroistam, de mysterio trinitatis.*
218. *Liber alius de eodem.*
219. *Liber de forma Dei.*

220. *Liber utrum fidelis possit solvere obcjetiones, etc.*
221. *Liber disputationis intellectus et fidei.*
222. *Liber appellatus apostrophe.*
223. *Liber de demonstratione per aequiparantiam.*
224. *Liber de convenientia quam habent fides et intellectus.*
225. *Liber de iis quae homo de Deo debet credere.*
226. *Liber de substantia et accidente.*
227. *Liber de Tinitate in Unitate.*
228. *Disputatio Raymundi Lulli et Homerii Saraceni.*
229. *Disputatio quinque hominum sapientum.*
230. *Liber de existentia et agentia Dei contra Averroem.*
231. *Declaratio Raymundi Lulli, etc.*
232. *De significatione fidei et intellectus.*
233. *Ars theologi et philosophise contra Averroem.*
234. *Liber de spiritu sancto contra Graecos.*
235. *Quod in Deo non sint plures quam tres personae.*
236. *De non multitudine esse divini.*
237. *Quid habeat homo credere.*
238. *De ente simpliciter per se contra Averrois.*
239. *De perversione entis removenda.*
240. *De minori loco ad majorem ad probandam Trinitatem.*
241. *De concordantia et contrarietate.*
242. *De probatione unitatis Dei, Trinitatis etc.*
243. *De quaestione quadam valde alta et profunda.*
244. *Disputatio trium sapientum.*
245. *Liber de reprobatione errorem Averrois.*
246. *Liber de meliore lege.*
247. *Liber contra iudaeos.*
248. *Liber de reformatione hebraica.*
249. *Liber de participatione christianorum et saracenorum.*
250. *De adventu Messiae contra iudaeos.*
251. *Liber de vera credentia et falsa.*
252. *Liber de probatione articulorum fidei.*
253. *Disputatio Petri clerici et Raymund Phantastici.*
254. *Liber dictus, Domine quae pars?*
255. *De probatione fidei Catholicae.*
256. *Tractatus de modo convertendi infideles.*
257. *De duobus aetibus finalibus.*

XIII. Libros sobre Teología.
258. *Liber quaest. super quatuor libros sententiarum.*
259. *Quaestiones magistri Thomae, etc.*
260. *Liber de Deo.*
261. *Liber de ente simpliciter absoluto.*
262. *Liber de esse Dei.*
263. *Liber de principiis theologiae.*
264. *Liber de consequentis theologiae.*
265. *De investigatione divinarum dignitatum.*
266. *Liber de Trinitate.*
267. *Liber de Trinitate trinissima.*
268. *De inventione Trinitatis.*
269. *De unitate et pluralitate Dei.*
270. *De investigatione vestigiorum, etc,*
271. *De divinis dignitatibus.*
272. *De propriis rationibus divinis.*
273. *De potestate divinarum rationum.*
274. *De infinitate divinarum dignitatum.*
275. *De actu maiori, etc.*
276. *De definitionibus Dei.*
277. *De nomine Dei:*
278. *De (—?) Dei.*
279. *De natura Dei.*
280. *De vita Dei.*
281. *De est Dei.*
282. *De esse Dei.*
283. *De essentia et esse Dei.*
284. *De forma Dei.*
285. *De inventione Dei.*
286. *De memoria Dei.*
287. *De unitate Dei.*
288. *De voluntate Dei absoluta et ordinaria.*
289. *De potestate Dei.*
290. *De potestate pura.*
291. *De potestate Dei infinita et ordinaria.*
292. *De divina veritate.*
293. *De bonitate pura.*
294. *De productione divina.*
295. *De scientia perfecta.*
296. *De maiori agentia Dei.*

297. *De infinito Esse.*
298. *De perfecto Esse.*
299. *De ente infinito.*
300. *De ente absoluto.*
301. *De objecto infinito.*
302. *De inveniendo Deo.*
303. *Liber de Deo.*
304. *De Deo maiori et minori.*
305. *De Deo et mundo et convenientia eorum in Iesu Christo.*
306. *Liber de Deo et Iesu Christo.*
307. *De incarnatione.*
308. *Liber ad intelligendum Deum.*
309. *Propter bene intelligere diligere et possificare.*
310. *De praedestinatione et libero arbitrio.*
311. *Liber alius de praedestinatione.*
312. *Liber de natura angelica.*
313. *Liber de locutione angelorum.*
314. *Liber de hierarchiis et ordinibus angelorum.*
315. *De angelis bonis et malis.*
316. *Liber de conceptu virginali.*
317. *Liber alius conceptu virginali.*
318. *Liber de creatione.*
319. *Liber de justitia Dei.*
320. *Liber de conceptione Virginis Mariae.*
321. *Liber de angelis.*

Como adición a esta larga lista de obras sobre todas las ciencias concebibles, el autor de los *Acta Sanctorum* da una lista de cuarenta y un libros sobre magia y alquimia falsamente atribuidos a Lulio o publicados bajo su nombre por otros de su época.

Las siguientes de las obras de Lulio han sido impresas:
Obras reunidas de Lulio, 10 tomos, Salzinger, Mainz, 1721-42.
Obras rimadas de Lulio, Roselló, Palma 1859.
Ars Magna generalis ultima. Mallorca, 1647.
Arbor Scientiae. Barcelona, 1582.
Liber Quaestionum super quatuor, etc. Lyon, 1451.
Quaestiones Magistri, etc. Lyon, 1451.
De articulis fidei, etc. Mallorca, 1578.
Controversia cum Homerio Sarraceno, Valencia, 1510

De demonstratione Trinitatis, etc. Valencia, 1510.
Libri duodecem princip., etc. Strasbourg, 1517.
Philosophiae in Averrhoistas, etc. París, 1516.
Phantasticus. París, 1499.

La poesía catalana de Lulio y sus proverbios se pueden hallar en las colecciones de la literatura provenzal; véase especialmente la vida de Lulio por Adolf Helfferich.

B. Libros acerca de Raimundo Lulio.

Bouvelles, *Epistol. in Vit. R. Lull eremitae.* Amiens, 1511
Pax, *Elogium Lulli.* Alcalá, 1519.
Seguí, *Vida y hechos del admirable doctor y mártir Ramón Lull,* Palma, 1606.
Fr. Damián Cornejo, *Vida admirable del ínclito mártir de Cristo B. Raimundo Lulio,* Madrid, 1686.
Colletet, *Vie de R. Lulle.* París 1646.
Perroquet, *Vie et Martyre du docteur illuminé. R. Lulle.* Vendome, 1667.
Nicolás de Hauteville: *Vie de R. Lulle.* 1666.
Vernon, *Hist. del la sainteté et de la doctrine de R. Lulle.* París, 1668.
Anon., *Dissertación histórica del culto inmemorial del beato R. Lulli.* Mallorca, 1700.
Wadding, *Annales Franciscan,* t. iv:, p. 422, 1732.
Antonio, *Bibl. Hisp. Vetus,* vol. II., p. 122. Madrid, 1788.
Loëv, *De Vita de R Lullispecimen.* Halle, 1830.
Delécluze, «Vie de R. Lulie» (en *Revue des Deux Mondes,* 15 noviembre, 1840). París, 1840.
* Helfferich, *Raymund Lull and die Anfänge d. Catalonischen Literature.* Berlín, 1858.
* Neander, *Church History,* vol. IV. Londres, 1851.
* Maclear, *History of Christian Missions in the Middle Ages.* Londres, 1863.
* Tiemersma, *De Geschiedenis der Zending tot op den tijd der Hervorming.* Nijmejen, 1888.
* Keller, *Geisteskampf des Christentums gegen d. Islam bis zur zeit der Kreuzzüge.* Leipzig, 1896.

---

* Consultados en la preparación del presente libro.

* Noble, *The Redemption of Africa.* vol. I. New Yok, 1899.
* [*Encyclop. Brit.*, novena edición, vol. XV, p. 63. *McClintock and Strong's Cyclopedia*, vol. V, p. 558. «Church Histories. Short History of Missions» by Dr. George Smith, etc.]
* *Acta Sanctorum*, vol. XXVII, pp. 581-676, 1695-1867.